현재 판매중인
에이든 **여행지도 시리즈**

국내여행 가이드북, 제주여행 가이드북, 인스타 핫플 가이드북, 아이와 가볼만한 곳 1193, 전국여행지도, 한국관광100선 스크래치맵, 캠핑지도, 우리나라 역사지도, 키즈 (세이펜) 세계지도/우리나라지도, 서울, 제주, 부산, 파리, 런던, 로마, 오사카 지도 등 지속 출시 중. 네이버에서 "에이든여행지도"로 검색하세요.

에이든 여행지도 및 미니맵북의 저작권은 (주)타블라라사에 있습니다.
본사의 서면동의 없이는 어떠한 형태로도 복사하거나 이용 하지 못합니다.

마카오 전체지역 개념도

aiden 2026＼2027

개정1판

에이든 마카오 여행지도

PLACE Macao

타블라라사

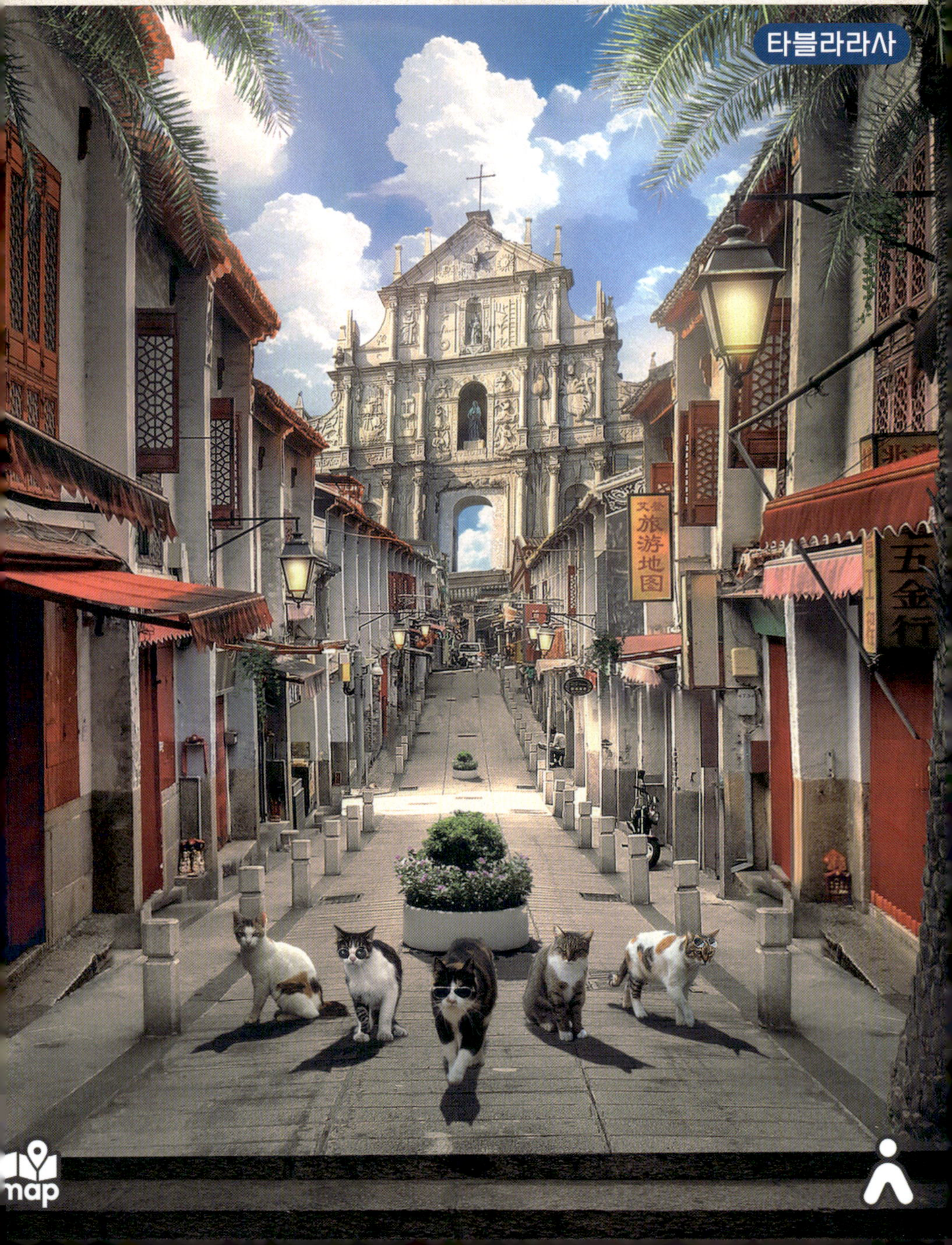

map

개정 1판 1쇄 인쇄 | 2025년 11월 15일
개정 1판 1쇄 발행 | 2025년 11월 15일

지은이 | 이정기, 타블라라사 편집팀
펴낸곳 | (주)타블라라사
컨텐츠 담당 | 홍경진, 김수경, 엄연희, 문아현, 고민지, 최현아, 이경미, 변계숙, 윤강희, 김지영, 김아름
편집디자인 | 홍경진
표지디자인 | KUSH

출판등록 | 2016년 8월 10일 (제 2019-000011호)
이메일 | quiz94@naver.com
홈페이지 | http://aidenmapstore.com

Copyright 2025 Tabularasa, inc.
이 책의 저작권은 저자와 출판사에 있습니다.
서면에 의한 저자와 출판사의 허락없이 책의 전부 또는 일부 내용을 사용할 수 없습니다.
일부 사진을 제공해주신 한국관광공사 tourapi, 인스타그램 제공자(사진에 출처표시)님 들께 감사 드립니다.

*값과 ISBN은 뒤표지에 있습니다.
*잘못된 책은 구입한 서점에서 바꾸어 드립니다.
*본 도서에 대한 문의사항은 이메일을 통해 받고 있습니다.

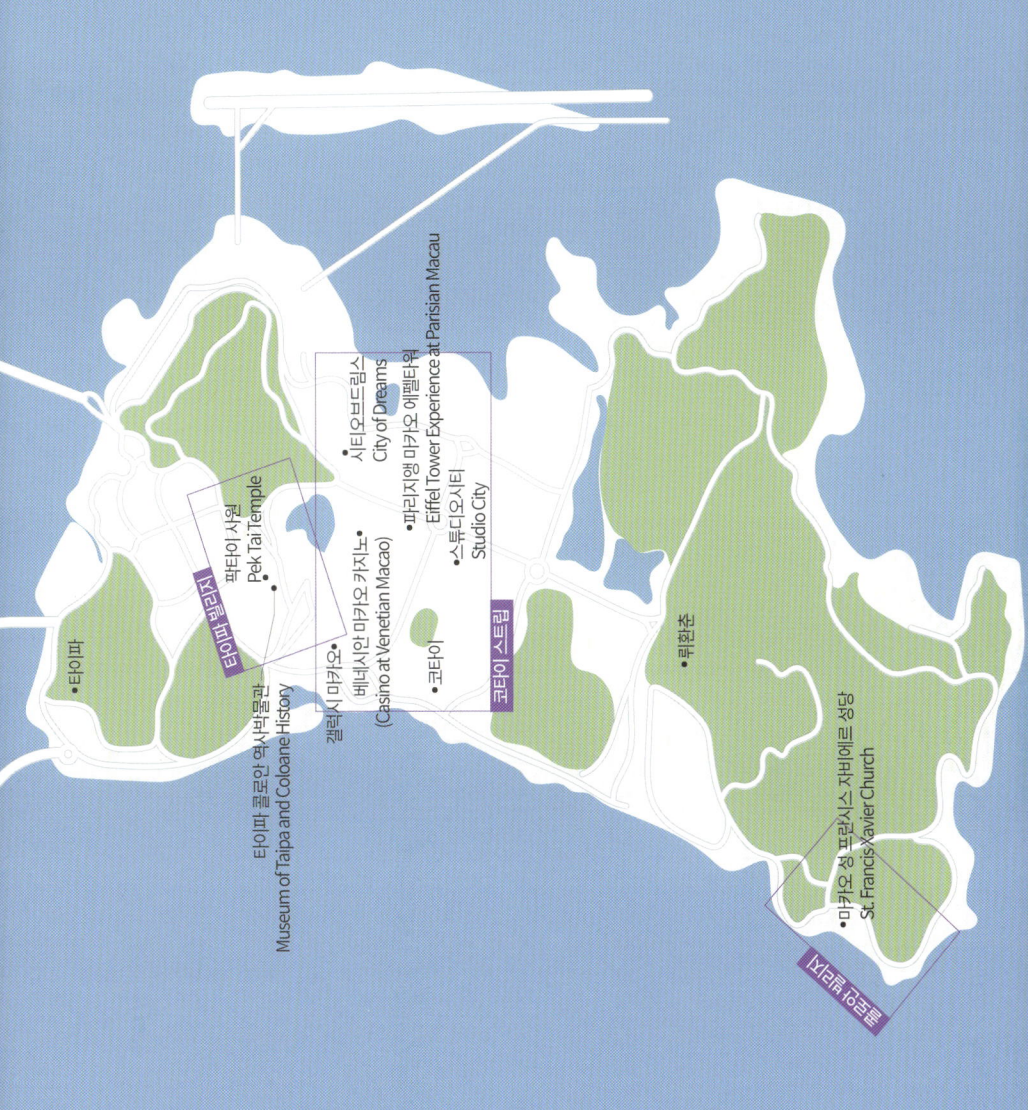

세나도 광장 주변

⭐ 홍콩 야시장
[Hong Kung Night Market]
토요일 저녁 6시에 운영시작하며 각종
포자마차가 줄지어 있는 곳. 꼬치구이,
해산물 구이, 볶음 등 간식거리와
아이들이 놀 수 있는 미니게임이 있다

홍형기 코코넛
아이스크림
洪馨記椰子雪糕
(코코넛 아이스크림)

구 시가지
[Section of the Old City]

⭐ 성 바울

연애골목
[Tv. da Paixao]
파스텔톤 노란색과 핑크색
건물이 있는 포토스팟

MacauSou

Mr Gung - Iam Cha
Mr. Gung 耿記點心
(하가우, 샤오롱바오)

음향기계박물관
Sound of the Century
- The Museum of Vintage
Sound Machines

Cafe SAB 8
정어리타르트, 민치

홍쿵 사원
Hong Kung Temple

⭐ 포르투갈 거리
파티에르바나리오스 거리 및
노사 세뇨라 도 암파로 거리오
초우산

싱코 드 오투브로 거리
Rua de Cinco de Outubro

루아 다스 에스탈라겐스
Rua das Estalagens

웡기
雄記
(지디죽, 팅

노반 목공소 전시관
Exhibition Room of Master
Lu Ban's Woodcraft Works

성 도미니코 성당
[St. Dominic's Church]
마카오 최초의 성당으로 세계문화유산으로 등재.
바로크양식의 노란색 파스텔톤의 성당.
입장시간 10시~18시(입장료 무료)

동신당 역사 기록 보관 전시회장
Tung Sin Tong Historical Archive
Exhibition Hall

성 도미니크
(페드로 놀
실바 거리오
데 알메이다

Sam Un Loja De Canja
(미트볼죽, 후라이드치킨)

알메이다 리베이로
대로(싼마로)

이순밀크컴퍼니
Yee Shun Milk
Company- Macau
(땅콩버터코스트, 우유푸딩)

후켕판팀 Hou Keng Fan Tim
好景飯店(시우메이, 차슈)

청케이 Loja Sopa de
Fita Choeng Kei
(새우알비빔면)

카페 감마론
Cafe Kam Ma Lon
(주빠빠오, 에그타르트)

팟 시우 라우
Fat Siu Lau
(돼지갈비밥)

싱리 차식당
Sing Lei Cha Chaan Teng
勝利茶餐室(주빠빠오, 카레)

웡 C
(새우

코이케이 鉅記手信
(아몬드쿠키, 에그타르트)

⑤ **세나도 광장**

드래곤 포르투갈 레스토랑
Dragon Portuguese
Restaurant
(갈비, 오리밥)

상기콘지
Seng Kei Congee
(유타오콘지)

세나도 광장

삼거리 회관
(Sam Kai Vui Kun)
관우를 모시는 사원
관우상과 여러 모양의 나무 창이 있다.

⭐ 펠리시다데 거리
[Rua da Felicidade]

코이케이
Pastelaria Koi Kei 鉅記手信
(에그타르트, 아몬드쿠키)

팀팟분차이치
Tim Fat Vun Chai Chi
添發碗仔翅美食(샤스핀 콘지)

어베니다 데 알메이다 리베로
Avenida de Almeida Ribeiro

파스텔라리아
추이헝

마카오 너티누리스
끄厨.紐利 澳門
(폭립, 연어샐러드)

IAM 갤러리
IAM Gallery

릴 세나도
[Leal Senado]

쿠파 커피 CuppaCoffee Taipa
(에그타르트, 커피)

in Taipa
Manuel
(포르투갈 음식,
문어,새우요리)

희련카페 Hei lin Cafe
(마카로니 토마토, 돼지갈비 번)

타이파 그란데 전망대
[Taipa Grande Viewpoint]
타이파 지역의 언덕에 위치하여 마카오의 스카이라인, 코타이 스트립의 화려한 호텔들, 그리고 바다를 조망하기 좋은 장소. 코타이 스트립의 호텔들이 뿜어내는 불빛과 마카오 타워 등이 어우러져 멋진 야경을 볼 수 있다. 24시간 연중무휴, 무료이용 가능

타이파 빌리지
스텔톤 건물들이 골목골목마다 이어지며, 목받는 맛집들이 많이 생겨서 인기를 끌고 코타이 지역에서 도보 20분 정도 소요, 전철 Pai Kok역에서 도보 7분

카르무 공원

Travessa da Boa Vista의 계단 벽화

오 카스티코 O Castiço
(해물밥, 구운오리밥)

랑
(돼지구이)

타이파 주택 박물관
[Taipa Houses]
파스텔 색상의 주택 5곳으로 역사와 관련된 전시물과 유물을 관람할 수 있다.

카르멜 성모 성당

카르멜 성모 성당
[Our Lady of Carmel]
우거진 정원에 둘러 쌓인 언덕 위 교회. 항구와 타이파 마을이 보인다.

스토우즈
커리

Stow's Bakery]
에그타르트의 원조이자
1개 MOP13, 6개
~75, 현금결제만 가능.

베네시안 숍스
[Shoppes at Venetian]
베네션 마카오에 위치한 쇼핑 지역으로 브랜드매장, 푸드코트등 이 있다. 곤돌라와 베네치아 분위기를 즐기기 좋으며 베네치아의 산 마르코 광장도 재현해놔 볼거리를 더한다.

기밥)

ortugal
조개술찜)

ntónio
야, 바칼라우)

로드 스토우 베이커리 코타이
[Lord Stow's Bakery]
포르투갈식 에그타르트를 만날 수 있는 곳.
바삭하고 촉촉한게 특징 오전10시부터 운영, 베네션 마카오 3층

경마
Horse Racing

누와 NÜWA

북방관 North
(탄탄면, 가지튀김, 베네시안 마카오 1층)

시티 오브 드림스

타이파빌리지&갤럭시 마카오 주변

세이 키 카페 (타이파)
세기카페,밀크티,주빠빠우

덤보 Dumbo
Portuguese Restaurant
(카레 홍합, 포르투갈 치킨)

A Petisqueira
(해물탕, 문어샐러드, 바지락볶음)

Gaucho
엘가초
(립아이, 스테이크)

Porto Restaurante
波爾圖葡國餐
세키돼지구이, 해물밥

팩타이 사원
[Pek Tai Temple]
북두우현전신을 모시는 사원내 내부 촬영금지

The Old Taipa Tavern
(기네스, 피쉬앤칩스)

Tin Hau Temple
틴하우 사원(타이파)
타이파&콜로안 역사박물관

소다빙
[梳打餅室 (氹仔店)]
주빠빠우, 땅콩버터토스트

LemonCello Gelato
망고 구아바, 블랙 망고

Restaurante Litoral
[레스토랑 리토랄]
재키치즈구이, 새우커리, 아프리칸 치킨

La Cucina Italiana
라쿠치나 이탈리아나(파스타)

Terrazza Italian Restaurant
테라짜 이탈리안 레스토랑
(드레스코드 있음, 피자, 스테이크, 갤럭시마카오 2층)

Passion by Gerard Dubois
파시옹 바이 제라드 뒤부아
(브런치, 제라드뒤부아, 갤럭시마카오 G/F)

HEYTEA 헤이티
(그레이프봄티, 치즈그린티)

타이파 콜로안 역사박물관
[Museum of Taipa and Coloane History]
마카오에 관한 작은 무료 박물관 영어, 중국어, 포르투갈어로 되어있고 가이드 투어를 제공한다.

맥캘란 바&라운지
(다양한 위스키, 갤럭시 마카오 2층)

GALAXY

Tsui Wah Restaurant
(딤섬, 밀크티, 갤럭시호텔 G/F)

샤프론 Saffron
(반얀트리 호텔 31층에 위치해있어 전망이 좋은 태국 레스토랑)

호텔 오쿠라 마카오
HOTEL OKURA MACAU

반얀 트리 마카오
BANYAN TREE MACAU

⭐ **갤럭시 마카오 다이아몬드 쇼**
[Fortune Diamond at Galaxy Macau]
갤럭시 호텔 내 다이아몬드 로비에서 볼 수 있는 무료 공연. 샹들리에와 분수대가 위로 올라가면서 노래와 함께 거대한 다이아몬드가 내려온다. 반짝반짝한 조명과 함께 즐기기 좋다. 공연은 10시~12시, 20분마다 시작하고 공연시간은 약 3분 정도

Estádio Stadium
Taipa
Pai Kok

JW 메리어트 호텔 마카오
JW MARRIOTT HOTEL MACAU

마카오 어반키친
[Urban Kitchen]

갤럭시 마카오

더 리츠 칼튼 마카오
THE RITZ-CARLTON MACAU

라이 힌
Lai Heen
(미슐랭 광동요리 런치 코스)

마카오 더 리츠 칼튼 바&라운지
[The Ritz-Carlton Bar & Lounge] 더 리츠 호텔에서 운영하는 바. 전망이 근사 한 곳으로 낮에는 애프터눈티, 저녁에는 술을 판매한다. (14:30-01:00 운영, 더 리츠 칼튼 호텔 51층)

8½오토 에 메조 봄바나
8½ Otto e Mezzo Bombana
(미스타3스타 셰프의 레스토랑, 해산물파스타, 람스테냉햄, 디너 18~22:30, bar(화~토) 18~24시, 더리츠 칼튼 카페에서 에스컬레이터 이용, 1층)

마카오 더 리츠 칼튼 카페
[The Ritz-Carlton Cafe]
고급스러운 인테리어를 가진 프레지서토랑
스테이크, 생선 요리, 애프터눈티 등 다양한 요리가 있다.

다라운지 JW 메리어트 호텔 마카오
The Lounge - JW Marriott Hotel Macau
(딤섬, 퍼지갈비, JW메리어트 호텔 마카오 G/F)

브로드웨이 호텔
BROADWAY HOTEL

추이와 레스토랑
(밀크티,
하이난치킨라이스)

고아나이츠
Goa Nights
(인도요리,
칵테일)

The Roadhouse Macau
(니츠타 키 밴드공연)
퓨전,홈믹스를 미츠 아이언으 컴포터
입점되어 있다. 일~목 10-22시, 금토
10-00시 운영

브로드웨이 마카오
[The Broadway]
브로드웨이 호텔 뒷편에 위치한 음식점과 술집이
밀집된 곳. 다양한 먹거리가 있어 먹거리
투어하기에 좋다. 야시장 느낌

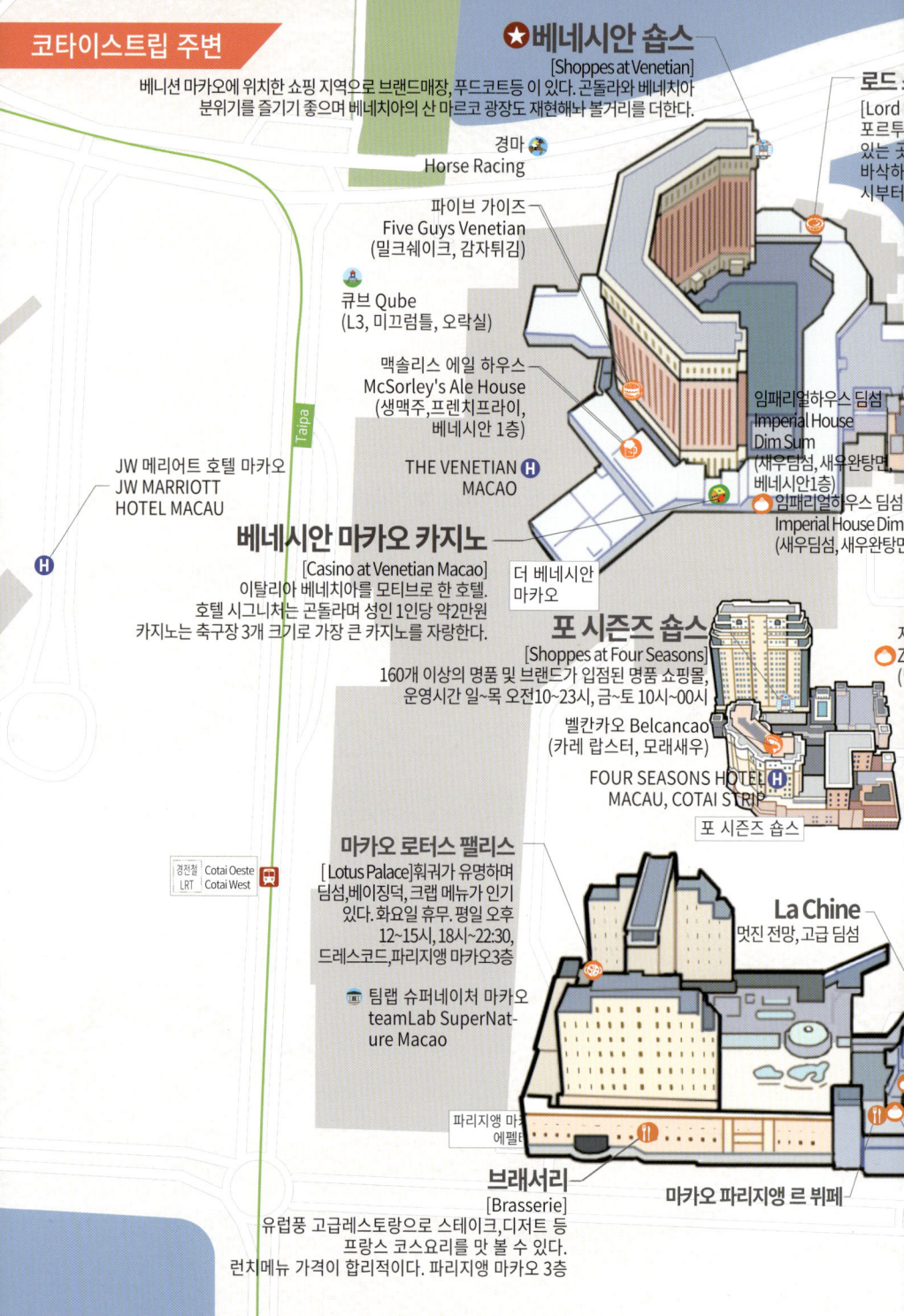

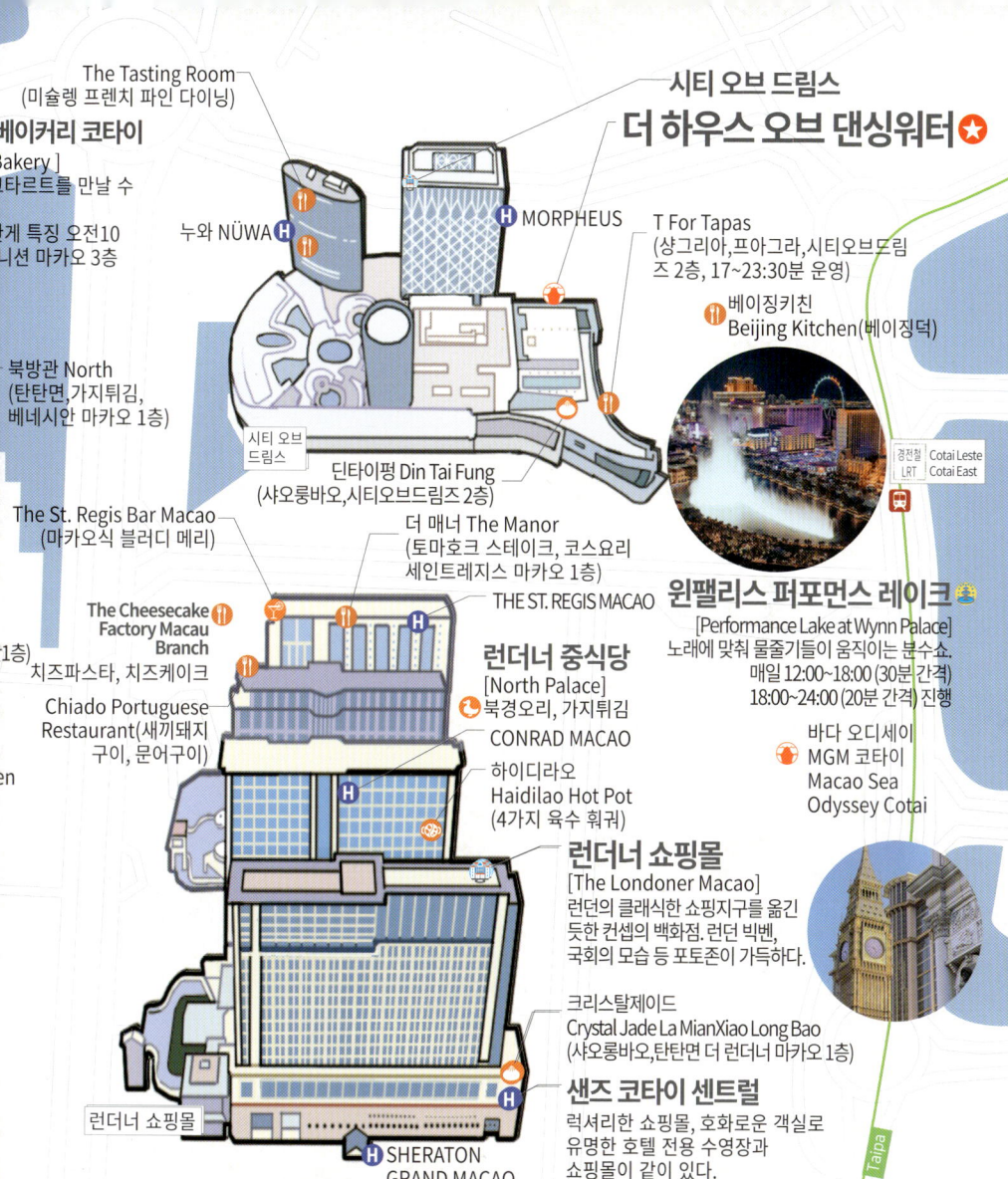

The Tasting Room
(미슐렝 프렌치 파인 다이닝)

베이커리 코타이
[Bakery]
타르트를 만날 수
게 특징 오전10
션 마카오 3층

누와 NÜWA

시티 오브 드림스
더 하우스 오브 댄싱워터 ⭐

MORPHEUS

T For Tapas
(샹그리아, 프아그라, 시티오브드림
즈 2층, 17~23:30분 운영)

베이징키친
Beijing Kitchen (베이징덕)

북방관 North
(탄탄면, 가지튀김,
베네시안 마카오 1층)

시티 오브
드림스

딘타이펑 Din Tai Fung
(샤오롱바오, 시티오브드림즈 2층)

경전철 Cotai Leste
LRT Cotai East

The St. Regis Bar Macao
(마카오식 블러디 메리)

더 매너 The Manor
(토마호크 스테이크, 코스요리
세인트레지스 마카오 1층)

THE ST. REGIS MACAO

윈팰리스 퍼포먼스 레이크 ⭐
[Performance Lake at Wynn Palace]
노래에 맞춰 물줄기들이 움직이는 분수쇼.
매일 12:00~18:00 (30분 간격)
18:00~24:00 (20분 간격) 진행

The Cheesecake
Factory Macau
Branch
치즈파스타, 치즈케이크

런더너 중식당
[North Palace]
북경오리, 가지튀김

Chiado Portuguese
Restaurant(새끼돼지
구이, 문어구이)

CONRAD MACAO

하이디라오
Haidilao Hot Pot
(4가지 육수 훠궈)

바다 오디세이
MGM 코타이
Macao Sea
Odyssey Cotai

런더너 쇼핑몰
[The Londoner Macao]
런던의 클래식한 쇼핑지구를 옮긴
듯한 컨셉의 백화점. 런던 빅벤,
국회의 모습 등 포토존이 가득하다.

크리스탈제이드
Crystal Jade La MianXiao Long Bao
(샤오롱바오, 탄탄면 더 런더너 마카오 1층)

샌즈 코타이 센트럴
럭셔리한 쇼핑몰, 호화로운 객실로
유명한 호텔 전용 수영장과
쇼핑몰이 같이 있다.

런더너 쇼핑몰

SHERATON
GRAND MACAO

파리지앵 마카오 에펠타워 ⭐
[Eiffel Tower Experience at Parisian Macau]
에펠탑모형의 전망대로 야경이 이뻐서 포토존으로
유명하다. 내부에 들어가지 않고 밖에서 찍기도,
타워전망대에 올라서 마카오의 야경을 찍기로도
유명하다. 운영시간 12:00~23:00 (22:15 입장마감) 37층
전망대 MOP88, 7층 전망대 무료

코타이볼링센터 ⭐
Bowling Centre in Cotai

마카오 마켓 비스트로
[Market Bistro] 마카오, 홍콩, 베트남 요리로 이루어져 있는
24시간 식당. 딤섬, 완탕면, 해산물 볶음밥 등이
있다. 파리지앵 마카오 1층

경전철 Jogos Da Ásia Oriental
LRT East Asian Games

크리스탈제이드 라미엔 샤오롱바오

13

마카오 반도

마카오반도 주변

마카오 메리 터미널 무료 호텔 셔틀
- 스튜디오 시티 호텔(코타이 스트립 방향)
- 윈 팰리스 호텔(코타이 스트립 방향)
- 파리지앵 호텔(코타이 스트립 방향)
- 베네시안 호텔(코타이 스트립 방향)
- MGM 호텔(마카오반도 중심가 방향)
- 그랜드 리스보아 호텔(마카오반도 중심가 방향)
- 샌즈 호텔(마카오반도 중심가 방향)
- 시티 오브 드림즈 호텔(코타이 스트립 방향)
- 갤럭시마카오 호텔(코타이 스트립 방향)
- 윈 마카오 호텔(마카오반도 중심가 방향)
- 더 베네시안 호텔(코타이 스트립 방향)

커뮤니케이션 박물관
[Communications Museum]
2층에는 우표 관련 전시물, 3층에는 통신사와 전기의 원리 관한 정보와 모형 등을 전시하고 있는 박물관

쿤얌 사원
[Kun Iam Tong Temple]
600년 이상의 고사찰. 거대한 관음상이 볼거리

성 라자루스 성당
나병환자들을 위해 건축되었던 성당

로우림옥 정원
[Lou Lim Ioc Garden]
6월 연못 연꽃이 장관. 차 문화관도 추천

쿤얌 사원(관음당)
자비의 여신에게 전쟁터 명나라 맑기 사원

마카오 모스크와 묘지
Macau Mosque and Cemetery

순얏센 기념관
[Dr. Sun Yat Sen Memorial House in Macao]
손원에 관한 자료와 물품이 전시되어 있는 곳. 화요일 휴무. 10~17시까지 운영

꽃의 정원
[Flora Garden] 기아 기 케이블카 탑승장
동산책로가 예쁜 꽃정원

기아요새
[Guia Fortress]
마카오 반도 전경이 한눈에 보이는 군사 요새. 세계유산으로 지정되어 있다.

기아요새 - 예배당과 등대
[Guia Fortress - Chapel and Lighthouse] 전망 명소. 등대와 예배당이 예쁜 포토스폿

Tap Seac Square
건축물이 예쁜 광장. 벼룩시장, 크리스마스 마켓 오픈.

마카오 박물관
[Macao Museum]
마카오 역사·문화 총망라. 매월 15일 무료

마카오 몬테 요새
[Monte Forte](Fortaleza do Monte)
1626년에 완공된 오래된 성벽아. 네덜란드와의 전쟁 중에 실제로 사용되던 대포들이 있다. 부지가 넓어서 마카오 전경을 즐길 수 있다.

구 시가지 성벽
[Section of the Old City Walls]
포르투갈인들이 적의 침입을 막기 위해 쌓은 성벽. 황토의 흙, 굴 껍질, 모래 등을 이용하여 포르투갈의 전형적인 방식으로 완성하였다. 유네스코 세계유산으로 등재되어 있다.

까사 정원
[Casa Garden]
포르투갈 왕실 가족 별장이 있던 자리로 작품 전시도 열린다.

신교도 묘지
[Old Protestant Cemetery]

- 소방 박물관 Fire Services Museum
- 성 라자루 성당 St. Lazarus Church
- 성 안토니오 성당
- 성 바울 성당
- 몬테 요새
- 예수회 광장
- 성 도미니크 성당
- 로우카우 맨션

R. dos Pescadores
Av. de Horta e Costa
Estr. do Reservatorio
R. das Estalagens

샌즈 마카오 호텔
럭셔리한 쇼핑몰, 호화로운 객실로 유명한 호텔. 전용 수영장과 쇼핑몰이 있다.

마카오 피셔맨스 워프
호텔, 카지노, 놀이기구, 상점 등이 모여 있는 항구 앞 엔터테인먼트 단지. 작은 골드로마 조형물, 유럽과 서부의 다양한 도시문화를 재현해놓아 포토존으로 인기가 있다.

하버뷰 호텔
유럽풍 인테리어를 가진 가성비 호텔. 객실이 넓고 피셔맨즈워프, 페리터미널이랑 가까운 곳에 위치해 있다.

마카오 미술관
[Macao Museum of Art]
컬렉션이 훌륭한 5층 규모의 무료 미술관.

마카오 과학관
[Macao Science Center]
반나절 체험하기 좋은 어린이 최고 명소

대성당 광장 [Cathedral Square, Macau]
마카오 대성당 앞 분수가 있는 작은 공원. 마카오대성당을 배경으로 사진 찍기 좋다.

마카오 대성당
[Cathedral of the Nativity of Our Lady]
1576년 목재로 지어진 성당으로서 내부 스테인드 글라스가 아름답다.

마카오 그랑프리 박물관
[Macao Grand Prix Museum]
포뮬러 레이싱카 전시,
에어마카오, 비지카드 등이

성 프란시스코 정원
S. Francisco Garden

그랜드 리스보아 카지노
[Grand Lisboa Casino]
마카오의 랜드마크 호텔 중 한곳으로 파인애플 모양의 건물로 유명하다. 카지노에는 초보자가 이용하기 좋은 게임이 많다.

황금연꽃광장

연꽃광장
Lotus Square

연꽃 동상
마카오의 중국 반환을 기념하며 조성된 광장에 약 6m 높이의 황금연꽃동상이 있다

마카오반환기념박물관
[Handover Gifts Museum of Macao]
마카오 반환을 축하하며 중국 여러 성에서 마카오 정부에게 보낸 선물들을 전시에 놓은 박물관

파리지앵 호텔
베네시안 호텔
더 런던더 호텔

샌즈 마카오

마카오 문화센터
Macao Cultural Centre
(Centro Cultural de Macau)

카를로스 아숨까오 박사 공원
Carlos Assumpcao Park

윈 마카오 [Wynn Macau]
Wynn Macau는 고급 리조트와 카지노로, 럭셔리한 숙박, 세계적인 식당, 화려한 쇼핑, 세련된 디자인과 예술 작품으로 유명한 이곳은 '퍼포먼스 레이크'의 수영과 쇼로 유명하며, 다양한 게임과 마을랑 스타 레스토랑을 자랑합니다.

마카오 관음상
[Kun Iam Statue]

관음상

윈 에스플러나드
[Wynn Esplanade]
명품 브랜드와 레스토랑이 있는 화려한 고급 쇼핑몰로 만다린 오리엔탈 마카오와 윈 마카오 호텔과 연결되어 있다. 해변전망도 좋다.

MGM 호텔
금괴를 쌓아 올린 듯한 화려한 외관과 예술 작품이 전시된 화려한 로비가 매력적인 호텔로 내 스파, 야외 수영장, 바/라운지 등 다양한 부대시설이 마련되어 있다.

관음 세계교회 센터

그랜드 리스보아

윈 마카오
MGM호텔

세계문화유산지역&마카오 타워

까모에스 정원

마카오 성 안토니오 성당
성 안토니오 성당

성 도미니크 성당
[St. Dominic's Church]
마카오 최초의 성당으로 세계문화유산으로 등재 바로크양식의 노란색 파스텔톤의 성당 입장시간 10시-18시(입장료 무료)

상가리 칸
[Sam Kai Vui Kun]
관우를 모시는 사원. 관우상과 여러 모습의 노란 장이 있다.

로우 가우 맨션
[Lou Kau Mansion]
중국고금주택을 관람할 수 있다.

자혜의 성채
[Holy House Of Mercy Of Macau]

뉴 야오한 백화점
[New Yaohan Department Store]

성 아우구스티노 성당
[St. Augustine's Church]
매년 부활절이 되면, 파소스행진을 진행하는데 이곳에서 시작한다.

성 요셉 신학교와 성당
[St. Joseph Seminary and Church]
바로크 양식의 유럽식 건물로 성직자들을 양성하는 곳.

릴 세나도 빌딩
정부청사로도 이용되었던 곳으로 내부는 의사청장, 그랜드홀, 예배당 등으로 이루어져있다.

펠리시다데 거리
[Rua da Felicidade]
영화 '도둑들'의 촬영지로 유명한 거리. 빨간색 대문과 창문이 인상적인 성람거리

돔 페드로 5세 극장
[Dom Pedro V Theatre]
목조바닥으로 된 서양식 극장으로 오케스트라,오페라,음악페스티벌이 주최되는 곳

성 아우구스티노 광장
[St. Augustine's Square]
포르투갈어 구석까지 모습으로 주변이 포르투갈 건축물들로 쌓여있다. 극장, 성당, 도서관 등 볼거리가 있다.

로버트 호퉁경의 도서관
[Sir Robert Ho Tung Library]
로버트 호퉁경의 기부로 만들어진 중국서적들이 있는 공공도서관

무어리쉬 배럭
[Moorish Barracks]
노란 외벽이 인상적인 마카오 항만청

성 로렌스 성당
[St. Lawrence's Church]
계단이 멋진 유럽식 성당. 반바지 차림을 미사 불가.

해사 박물관
[Maritime Museum]
마카오와 중국의 바다 역사를 알 수 있는 곳으로 소형 선박과 어획도구, 장비, 각종 어류와 조개류가 전시되어 있다. 매일 10~17:30 운영. 화요일 휴관

세나도 광장
[Senado Square]
마카오의 랜드마크 같은 곳. 분수대를 중심으로 광장 주변은 유럽식 건물들로 꽉 차 있어 유럽을 연상시킨다. 카페, 레스토랑, 기념품샵 등 다양한 상점들이 있다. 야경이 예쁜 것으로도 유명하다.

마카오 타워
[Macau Tower Convention & Entertainment Centre]
높이가 338m로 세계에서 높은 타워 10위 안에 드는 곳. 58층 실내 전망대에는 가장자리가 유리로 되어 있어 아찔함을 더한다. 타워 내에 번지점프와 타워 외관을 따라 걷는 스카이워크가 있다. 평일 10~19시 운영, 주말 10~20시 운영. 상점, 영화관, 회전식 레스토랑이 운영되고 있다. 입장권 성인 MOP208 / 3~11세 어린이, 65세 이상 MOP138

스카이 마카오 타워
[Skypark Macau Tower by AJ Hackett]
<런닝맨>촬영장소로 알려진 곳. 번지점프와 타워 외관을 따라 걷는 스카이워크, 스카이점프가 있다. 치마, 원피스 같은 경우 점프스트로 대여가능. 스카이워크+번지점프 약13만원대, 번지점프 51만원
운영시간 평일 11:00~19:00 / 주말 10:30~19:30

페나 성당
[Penha Church]
언덕 위 그림같은 성당. 바다 뷰, SNS 사진명소.

만다린 하우스
[Mandarin's House]
세계문화유산. 마카오 옛 부잣집 구경하는 느낌

포자다 데 산티아고
[Pousada De Sao Tiago]
포르투갈 지배당시 지어진 요새 안에 위치한 5성급 호텔. 고성을 개조해 만들어 엑티한 느낌이 드는 곳. 바다전망과 호수 전망이 멋지다

아마 사원
[A-ma Temple]
세계문화유산. 마카오라는 지명이 유래된 사원.

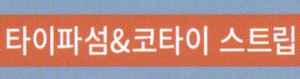

타이파섬&코타이 스트립

Tenmasa
미슐랭 맛집으로 일본에서 공수 해온 재료로 일본인 셰프가 직접 요리해 주는 곳 다다미방 컨셉으로 꾸며졌으며, 해산물 튀김이 제일 인기있다. 수요일 휴무, 오후 12~15시, 18~22시 운영

경전철 LRT 오션 Ocean

경전철 LRT 경마장 Jockey Club

마카오 타이파 빌리지
[Taipa Village Macau]
파스텔톤 건물들이 골목골목마다 이어진다. 주목받는 맛집들이 많이 생겨서 인기를 끌고 있다.

팍타이 사원
[Pak Tai Temple]
북진우현전신을 모시는 사원. 내부 촬영금지

경전철 LRT 운동장 Stadium

솔 거리 벽화
Rua do Sol Mural

타이파 콜로안 역사박물관
[Museum of Taipa and Coloane History]
코타이 역사와 문화 전시. 무료 입장

타이파&콜로안 역사박물관

갤럭시 마카오 다이아몬드쇼
[Fortune Diamond at Galaxy Macau]
갤럭시 호텔 내 다이아몬드 로비에서 볼 수 있는 무료 공연. 샹들리에와 분수대가 위로 올라가면서 노래와 함께 거대한 다이아몬드가 내려온다. 반짝반짝한 조명과 함께 즐기기 좋다. 공연시간 월~목 12시~22시 / 금~일, 공휴일 10시~24시 (30분 마다) 약3분정도 공연한다.

그랜드 리스보아
타이파 빌리지

경전철 LRT 파이 콕 Pai Kok

브로드웨이 마카오
[The Broadway]
브로드웨이 호텔 뒷편에 위치한 음식점과 술집이 밀집된 곳. 다양한 먹거리가 있어 먹거리 투어하기에 좋다. 야시장 느낌

갤럭시 마카오

샌즈 마카오
베네시안 호텔

Hengqin Line

갤럭시 마카오
2만 평에 달하는 대형 워터파크, 쇼핑몰이 있는 호텔로 워터파크에는 파도풀, 유수풀, 키즈존 등이 있다. 호텔 내부에 쇼핑몰에는 명품관, 애플스토어 등이 입점되어있다. 미니바가 1회 무료로 제공되고 공항, 페리 터미널 등을 오가는 무료셔틀이 운행중이다. 다이아몬드쇼도 운영중이다.

갤럭시마카오
브로드웨이 마카오

더 베네시안 마카오

포시즌스 숍스

코타이

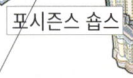

스튜디오시티

팀랩 슈퍼네이처 마카오
[TeamLab SuperNature Macao]
인터랙티브 3D 전시. 슬리퍼, 쪼리, 끈샌달, 하이힐 착용 불가

경전철 LRT 코타이 웨스트 Cotai West

베네시안 마카오 카지노
[Venetian Macao Casino]
이탈리아 베네치아를 모티브로 한 호텔. 호텔 시그니처는 곤돌라며 성인 1인당 약 2만원 카지노는 축구장 3개 크기로 가장 큰 카지노를 자랑한다.

경전철 LRT 로투스 체크포인트 Lotus Checkpoint

경전철 LRT 유니언병원역 Hospital Union

파리지앵 마카오 에펠타워
[Eiffel Tower Experience at Parisian Macau]

알티라 호텔

거리
do Cunha] 카페, 맛집,
벽화가 모여있는 감성 골목

도시 정원 Flower City Garden
수 먹고 산책하기 좋은 중국식 정원)

계단 벽화
da do Coxo Mura,
이아 다 시우바 거리 벽화
Correia da Silva Mural

성모 성당
dy of Carmel]
원에 둘러 쌓인
교회. 항구와
을이 보인다.

고 성당

타이파 그란데
전망대 Taipa
de Viewpoint

타이파 주택 박물관
[Taipa Houses]
민트색 옛 건축물, 연못,
전망대 산책 추천

시티오브드림즈
[City of Dreams]
'더 하우스 오브 댄싱 워터'가 열리는
호텔로 카지노, 쇼핑몰, 수영장 등 다양한
즐길거리가 있다. 무료셔틀버스가 운영된다.

MGM 코타이 스펙터클
[MGM Cotai Spectacle]
축구장 크기의 유리 지붕
건축물. 기네스북 등재.

타이파 페리 터미널
Taipa Ferry Terminal

MGM 호텔
시티 오브 드림즈
갤럭시마카오
베네시안 호텔
파리지앵 호텔
윈 팰리스 호텔
스튜디오 시티
마카오 국제공항

더 하우스 오브 댄싱워터
[The House of Dancing Water]
"태양의 서커스"의 연출가인 프랑코
드라고네가 연출. 바닥과 천장에서 나오는
물과 함께 이어지는 배우들의 멋진 퍼포먼스.
어부가 시간을 뛰어넘어 사랑을 쟁취하는
아름다운 러브 스토리. VIP/ A/B/C의 좌석 중
B석은 스플래쉬 존으로 가장 현장감 있게
공연을 즐길수 있을만큼 좌석이 가까워 공연중
물이 많이 튀므로 우비와 수건을 제공한다.
시티오브드림즈 호텔 내부에서 진행. 공연시간
17시, 20시

윈팰리스 호텔 스카이캡
[Skycab Cable Car]
윈팰리스 호텔의 시그니처 분수쇼를
무료로 감상 할 수 있는 케이블카.
운영시간 일~목 16시~22시 / 금~토 16시~24시

윈팰리스 퍼포먼스 레이크
[Performance Lake at Wynn Palace]
노래에 맞춰 물줄기들이 움직이는 분수쇼.
운영시간 월~수 12시~22시 (30분 간격) /
화~일 12시~19시 (30분 간격), 19시~22시
(20분 간격)

런더너 쇼핑몰
[The Londoner Macao]
런던의 클래식한 쇼핑지구를 옮긴 듯한 컨셉의 백화점.
런던 빅벤, 국회의 모습 등 포토존이 가득하다.

타이파섬&콜로안섬

관람 시간: 화요일~일요일 오전 10시~오후 1시,
오후 2시~오후 5시
휴무일: 월요일 (공휴일일 경우 화요일 휴무)
입장료: 무료 입장
오픈 직후나 오후 2시 이후에 방문하면 판다들이
움직이는 모습을 볼 수 있다.

경전철 LRT | 로투스 체크포인트 Lotus Checkpoint

경전철 LRT | 섹파이완 공원/ 프라이아 파크 Est. Seak Pai Van / Praia Park

자이언트 판다 파빌리온

마카오 자이언트 판다와 희귀 동물 파빌리온
[Macao Giant Panda and Rare Animal Pavilion]
귀여운 판다를 볼 수 있는 무료 동물원

씩 파이반 공원
Seac Pai Van Park

콜로안
[Coloane]
코로안섬 남서쪽 해안
골목 골목 구경하기 좋
유명한 에그타르트 맛

마카오 성 프란시스 자비에르 성당
[St. Francis Xavier Church]
영화 <도둑들>, 드라마 <궁> 촬영지로도 유명한 노란 성당
김대건 신부님의 초상화도 있고 한국어 미사도 진행한다

성 프란시스코 사비에르 교회

카타노 거리 벽화
Rua Caetano Mural

에스탈레이로 광장 벽화
Estaleiro Square Mural,
카에타노 거리 벽화
Rua Caetano Mural

아마 문화마을
[A-Ma Cultural Village]
마카오에서 가장 유명한 사원 중
하나로 약 7천평의 면적을 차지한다.
아마 여신상이 있으며 산 위에 자리
잡고 있어 마카오의 전경을 볼 수
있다. 9~18시 운영

탐꿍 사원
[Tam Kong Temple]
물의 신 탐쿵에게 받치는
사원. 사원에는 백년이 넘는
유물, 고래 뼈 조각으로 만든
용선이 있다.

체옥반 해변
[Cheoc Van Beach]
관광객과 사람이 적어 한적하게 시간을 보낼
수 있는 곳으로 바다와 산을 마주하고 있어
아름다움을 더한다.
바다 바로 옆에는 수영장과 레스토랑이 있다.

마카오 시내 교통

마카오의 시내교통수단

택시
크림색 지붕에 검정색 몸체로 된 일반 택시인데 카지노에서 돈을 다 잃고 가라는 의미라고 한다.
요금: 기본요금에 MOP21, 최초 1.6킬로미터가 지나면 220미터마다 MOP2가 추가, 짐 하나당 MOP3의 요금손님의 요청으로 기다리는 동안에는 55초당 MOP2 의 요금이 부가, 현금이나 홍콩달러, 마카오달러 모두 이용 가능
공항-코타이반도 : 50~70 MOP
공항-마카오반도 : 90~105 MOP
택시서비스 문의 전화는 +853 8500 0000 / +853 2828 3283
마카오 국제공항, 타이파 페리터미널 택시 승차장, 헝친의 마카오 대학교 캠퍼스, 헝친 항구의 마카오 항만 구역, 코타이 국경관문소, 홍콩과 중국 주하이에서 마카오를 연결하는 마카오 항의 강주아오대교 국경지대 또는 마카오 반도에서 콜로안 섬까지 가는 택시를 타는 경우에는 MOP5의 할증료를 내야 하고, 타이파 섬에서 콜로안 섬까지 가는 경우에는 MOP2의 추가 요금을 지불해야 한다. 하지만 마카오 반도에서 타이파 섬까지 가거나, 타이파 섬과 콜로안 섬에서 마카오 반도로 들어오는 경우에는 할증료가 붙지 않는다.

시내 버스
마카오 구석구석을 연결하는 교통수단. 현금으로 요금 지불 시 잔돈을 주지 않기 때문에 마카오 패스를 이용하는 것이 편리하다. 버스 정류장에는 노선이 적혀있고, 버스 정면에 버스 번호와 중국어 영어로 목적지도 함께 나와 외국인이 이용하기도 어렵지 않다. 하차 시 한국처럼 미리 벨을 누른다.
· 요금: MOP6 (일괄요금제), 운영시간: 24시간 (심야버스 포함)
>마카오 버스 주요 노선
3번: 마카오 페리 터미널, 세나도 광장 10번: 마카오 페리 터미널, 세나도 광장, 아마사원 21A, 26A
: 스튜디오 시티, 세나도 광장, 베네시안, 시티 오브 드림즈 32번: 마카오 페리 터미널, 마카오 타워

경전철(LTR)
15개 역이 있다. 이용 구간에따라 요금이 부과. 현금은 마카오달러만 이용가능. 표는 1회권인 토큰 모양이고 개찰구에 태그하는 방식과 선불 LRT카드를 사서 충전해 쓴다. 경전철을 자주 이용해야 한다면 선불 LRT 카드를 구입하자. 카드 가격은 MOP300이며, 이용 요금은 별도로 충전해야 한다. 1회 차감 요금이 1회권의 반값이라 경전철을 저렴하게 이용할 수 있다. 키 1m 이하 어린이는 무료로 탑승
요금: 기본 3개 역: $6/ 4-6개 역: $8/ 7-10개 역: $10 / 11~12개 역 $12
· 운영시간: 월-목 06:30 - 23:15
· 배차 간격: 10-15분
타이파 페리 터미널행 06:34-23:19
파라 오 오션행 06:41-23:32

오픈투어버스
2층버스로 관광 명소를 효율적으로 둘러볼 수 있는 수단
낮 동안 운행하는 데이 투어버스와 야경을 감상할 수 있는 나이트 투어 버스 두 종류가 있다. 데이 투어의 경우 총 12개의 정류장으로 구성되어 자유롭게 승하차가 가능하다. 와이파이, 영어, 중국어 서비스가 제공된다.
2023년 9월 6일 기준, 아마 사원 정류장은 공사로 인해 승하차가 불가능하다.
· 요금: 성인 MOP200 어린이(2-11세) MOP150 / 나이트 투어 성인, 어린이 MOP150 · 운영시간: 09:30 - 16:15 (배차간격: 45분, 나이트 투어는 저녁 7시) · 탑승처: 마카오 페리 터미널 · 탑승권 구입: 홈페이지, 마카오 페리 터미널 도착층 1645 카운터

페디캡(삼륜 자전거)
삼륜 자전거인 페디캡은 옛 정취가 남아 있는 마카오 거리를 느긋하게 돌아볼 수 있는 낭만적인 교통수단. 페리 터미널이나 그랜드 리스보아 호텔 주변에 많이 모여있다. 종종 바가지를 씌우기도 하니 타기 전 기사와 가격 흥정을 하는 것이 좋다.
· 요금: 시내 한 바퀴 약 MOP350

마카오 페리 터미널에서호텔 무료셔틀 타는 곳

페리터미널 출구에서 나와 오른쪽으로 이동
->내려가는 에스컬레이터 타고 한층 내려가기
->지하도로 들어가서 한 층 올라가면 셔틀버스 타는 곳 도착

예약한 호텔의 무료 셔틀버스 팻말 찾기
*호텔들 마다 정차하는 곳이 다르기 때문에 호텔 사이트에서 노선 확인하고 내리고 싶은 여행지에서 내리기

공항에서 시내까지

마카오 국제공항
시내버스 :
AP1, AP1X, MT1, MT4, N2(심야), 26, 36, 51A & 51X 번
각 버스는 십자형의 노선을 따라 움직이며 마카오의 주요 호텔들을 연결.
이동시간은 약 15분정도, 심야버스 N2의 운영시간은 자정부터 새벽 6시까지
요금: MOP 6
이용시간: 06:30 - 24:00 (노선마다 다름)
공항을 오가는 주요버스 노선
· AP1: 중국 국경, 마카오/코타이 페리 터미널 · 21,26: 아마사원, 콜로안, 코타이 페리 터미널 · MT1,MT2: 리스보아 호텔, 코타이 페리 터미널 · MT4: 스튜디오 시티, 갤럭시, 소피텔 · N2 (심야버스): 시티 오브 드림즈, 리스보아 호텔

공항리무진: GOLDEN LAND TRAVEL LTD 예약 https://www.ebiz.macau-airport.com/mobile/limousine/index.html?lang=en
마카오공항- 코타이 요금: 170 MOP

택시:
공항에서 나오면 바로 택시 정류장이 있다. 호텔 셔틀이 끊긴 심야에 많이 이용하며, 여러명이 함께 탑승하면 부담이 적다.
요금 : 기본요금 MOP 21 + 공항 할증 MOP 8 + 짐 하나당 MOP3의 추가 요금/ 현금이나 홍콩달러, 마카오달러 모두 이용 가능
(미터기가 간혹 29로 되어있는데 기본요금 21+ 할증 8이기 때문)
공항-코타이반도 : 50~70 MOP
공항-마카오반도 : 90~105 MOP

호텔 셔틀버스
호텔 셔틀 팻말을 따라 입국장을 나오면 셔틀버스가 서 있는 주차장이 보인다. 금색-갤럭시, 파란색-베네치안, 분홍색-파리지앵 등 가고자 하는 호텔의 셔틀버스를 찾아 탑승하면 된다. 탑승은 무료, 숙박 여부나 목적지를 묻지 않고, 해당 호텔의 투숙객이 아니어도 탑승할 수 있다.

마카오 패스

구분	내용
사용처	버스, 경전철(LRT), 'm' 표시가 있는 편의점, 맥도날드, 스타벅스 등
결제 수단	마카오 화폐(MOP)로만 구매 가능 (홍콩 달러가능 하나 환율차이가 있으니 마카오 화폐이용 추천)
할인 혜택	마카오 버스 현금 요금 50% 할인 (일반 버스 현금 MOP 6 → MOP 3) 급행 버스(노선명에 'X' 붙음) 요금 MOP 4
가격	최초 구매 금액 MOP 130 (보증금 MOP 30 포함, 환불 불가)
구매처	공항, 페리 터미널, 세븐일레븐
이용 방법	승차 시 태그, 하차 시에는 태그하지 않음
분실 시	마카오패스 등록 번호와 신분증명서 원본을 지참하고 고객센터 방문, 또는 온라인으로 분실 신고 시 잔액 환불 가능
유효 기간	3년 (만료 후 서비스 센터에서 재사용 등록 가능)
캐릭터 카드	별도 구매비 MOP 138 (짱구, 미니언즈 등 다양한 캐릭터 피규어 카드)
비고	보증금 환불이 불가하므로 10번 이상 이용해야 이득

마카오 시내 교통 & 쇼핑리스트

마카오에서 강주아오대교버스타고 홍콩가기
HZMB 버스터미널

터미널에서 마카오 출국 심사후 강주아오대교 버스로 환승. 홍콩에 도착하면 입국심사를 다시 해야 한다. 버스에서 홍콩과 마카오를 잇는 세계 최장 해상 대교를 감상하기 좋은 자리는 오른쪽 앞 좌석이다. 버스는 지정 좌석이 아니므로 운이 따라야 좋은자리를 차지할수있다. 버스 내 충전 가능한 USB포트가 있다.
(홍콩 공항으로 간다면 B4버스를 한번더 환승)

B4버스요금 – 24시간 운행,옥토퍼스카드 사용 가능
*어린이, 노인 상관없이 9.8로 통일됨

강주아오대교버스(HZMB) 요금
주간 성인 65달러/12세 미만, 65세 이상 33달러 : am 6~pm 11:59
야간 70달러 :mn 12~am 5:59

마카오 페리 터미널 에서 택시로 이동하는 방법

공항-세나도광장(약 115 MOP) / 마카오 페리터미널-세나도광장(약 40MOP)
세나도광장-타이파 빌리파(약 105MOP) / 공항-갤럭시호텔(약 89MOP)
공항-베네시안 호텔(약 61MOP) / 세나도광장-콜로안 빌리지(약 120MOP)
*기본요금 1.6km에 21MOP/220m마다 2MOP 추가 발생/짐 한개당 3MOP
*지역동시 추가요금
타이파-콜로안 2MOP
콜로안-타이파 5MOP
공항 추가 5MOP

마카오에서 홍콩까지

1. 터보젯

구분	내용
운행 노선	홍콩 성완 (Hong Kong - Sheung Wan) ↔ 마카오 아우터 하버 (Macau Outer Harbour)
운행 시간	07:30 ~ 23:00 (30~60분 간격, 18시 이후 1시간 간격)
소요 시간	약 1시간
탑승 안내	좌석 지정(티켓 스티커 번호), 캐리어는 보관 장소 이용, 유모차/짐은 직접 소지, 탑승 전 여권 소지 필수
예약/발권	뱅셍 트래블 카운터에서 티켓 교환권 수령 후 사용

2. 코타이 워터젯
Cotai Jet ticket - Sheung Wan

구분	내용
운행 노선	홍콩 마카오 페리 터미널 ↔ 마카오 타이파 페리 터미널
운행 시간	09:00 ~ 23:59
소요 시간	약 1시간
탑승 안내	좌석 지정(티켓 스티커 번호),짐은 직접 소지 또는 캐리어 보관소 이용, 출입국 심사 진행 시 여권 필수, 쾌적한 좌석 제공
예약/발권	뱅셍 트래블 카운터에서 티켓 교환권 수령, 최소 3일 전 예약 권장

마카오 쇼핑리스트

카오롱우유
마카오에서 유명한 우유로, 진하고 고소한 맛이 특징

그라함 미니 와인
포르투갈 영향으로 와인이 발달했으며, 작고 귀여운 미니 와인은 선물용으로 좋다.

럭키쿠키캐슈넛
특산품인 캐슈넛을 이용한 럭키쿠키는 고소한 맛과 함께 재미있는 메시지를 담고 있다.

로드스토우즈
바삭한 페이스트리와 부드러운 커스터드 크림이 환상적인 조화

포르투화이트와인
직수입되는 다양한 종류의 포르투갈 와인을 비교적 쉽게 접하고 구매할 수 있다.

마가렛카페이나타
로드 스토우즈 에그타르트와 함께 마카오 에그타르트의 양대 산맥으로 꼽힌다.

마그넷
마카오의 상징적인 건축물이나 이미지로 디자인된 마그넷

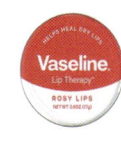
바세린 로즈
일반 바세린 외에 장미향이나 알로에 성분이 추가된 바세린 제품도 인기

포르투갈 마스코트수탉
바르셀루스 수탉은 행운을 가져다준다고 믿어 인기 기념품

세일링실론티
떫지 않고 부드러운 맛과 은은한 향으로 홍차 입문용으로 추천

아몬드쿠키
대표적인 주전부리로, 고소한 아몬드 향과 바삭한 식감이 특징

육포
얇게 저민 고기를 양념하여 말린 육포는 마카오에서 인기 있는 간식

자스민차
현지 특유의 블랜딩이나 신선도를 경험할 수 있다.

코이케이
마카오의 유명한 베이커리 체인으로, 아몬드 쿠키, 에그롤 등 다양한 현지 특산품과 간식을 판매

In case of loss, please return to

....

....

....

As a reward

....

PREVIEW
CHECK LIST - 마카오 전체

TO DO LIST

- ☐ 갤럭시 마카오 다이아몬드 쇼 보기
- ☐ 골든릴 관람차 타기
- ☐ 마카오 타워 액티비티 즐기기
- ☐ 몬테 요새에서 마카오 경치 보기
- ☐ 베네시안 호텔 실내 수로에서 곤돌라 타기
- ☐ 브로드웨이 마카오에서 공연장, 상점 구경하기
- ☐ 성 도미니코 성당 노란색 건물 인증샷 찍기
- ☐ 성 바울 성당의 유적 인증샷 찍기
- ☐ 세나도 광장 걸어보기
- ☐ 윈팰리스 호텔 케이블카 타고 분수쇼 보기
- ☐ 육포 거리에서 육포 먹기
- ☐ 치파오 입고 사진찍기
- ☐ 파리지앵 마카오 에펠타워 인증샷 찍기
- ☐ 펠리시다데 거리에서 '도둑들'처럼 사진찍기

MUST EAT LIST

- ☐ 딤섬
- ☐ 아프리카 치킨
- ☐ 주빠빠오
- ☐ 바칼라우 요리
- ☐ 에그타르트
- ☐ 카펠라
- ☐ 버터토스트
- ☐ 에그퍼프
- ☐ 커리크랩
- ☐ 세라두라
- ☐ 연잎밥
- ☐ 포르투갈식 조개볶음
- ☐ 시우마이
- ☐ 완탕면
- ☐ 포르투갈식 해물죽

MUST BUYING LIST

- ☐ 그라함 미니 와인
- ☐ 아몬드쿠키
- ☐ 카오롱 우유
- ☐ 럭키쿠키
- ☐ 로드 스토우 에그타르트
- ☐ 퍼퓨메리아 갈 립밤
- ☐ 바세린 로즈
- ☐ 자스민 차
- ☐ 포르투갈 와인
- ☐ 세일링 실론티
- ☐ 잭콕
- ☐ 포르투갈 수탉 장식

MUST DO ACTIVITIES LIST

- ☐ 마카오 나이트 투어
- ☐ 스튜디오 시티 슈퍼 펀 존 어트렉션
- ☐ 카지노 호텔 투어
- ☐ 마카오 타워 스카이 워크
- ☐ 스튜디오 시티 워터파크
- ☐ 파리지앵 큐브 킹덤 어트렉션
- ☐ 마카오 타워 스카이점프
- ☐ 좀비 CS 레이저 배틀
- ☐ 포르투갈 요리 클래스
- ☐ 베네시안 퍼레이드
- ☐ 짚시티 짚라인
- ☐ 헬리콥터 투어

LANDMARK LIST

- ☐ 갤럭시 마카오
- ☐ 아마 문화촌&아마 신상
- ☐ 갤럭시 마카오 다이아몬드 쇼
- ☐ 아마 사원
- ☐ 고통의 성모 마리아 성당
- ☐ 연꽃 동상
- ☐ 구 시가지 성벽
- ☐ 예수회 광장
- ☐ 그랜드 리스보아 카지노
- ☐ 윈 마카오
- ☐ 그랜드 콜로안 리조트
- ☐ 윈 에스플라나드
- ☐ 기아 요새
- ☐ 윈팰리스 퍼포먼스 레이크
- ☐ 까모에스 광장
- ☐ 윈팰리스 호텔 스카이캡
- ☐ 더 하우스 오브 댄싱워터
- ☐ 자이언트 판다 파빌리온
- ☐ 돔 페드로 5세 극장
- ☐ 체옥반 해변
- ☐ 런더너 쇼핑몰
- ☐ 카르멜 성모 성당
- ☐ 마카오 과학관
- ☐ 콜로안
- ☐ 마카오 관음상
- ☐ 쿤 호이 힌
- ☐ 마카오 대성당
- ☐ 타이파 주택박물관
- ☐ 마카오 몬테 요새
- ☐ 타이파 콜로안 역사박물관
- ☐ 마카오 미술관
- ☐ 탐꽁 사원
- ☐ 마카오 박물관
- ☐ 팍타이 사원
- ☐ 마카오 성 안토니오 성당
- ☐ 파리지앵 마카오 에펠타워
- ☐ 마카오 성 프란시스 자비에르 성당
- ☐ 펠리시다데 거리
- ☐ 마카오 역사지구
- ☐ 포자다 데 산티아고
- ☐ 마카오 타워
- ☐ 하버뷰 호텔
- ☐ 마카오 타이파 빌리지
- ☐ 학사해변
- ☐ 마카오 피셔맨스워프
- ☐ MGM 호텔
- ☐ 만다린 하우스
- ☐ 베네시안 마카오 카지노
- ☐ 베네시안 숍스
- ☐ 브로드웨이 마카오
- ☐ 샌즈 마카오 호텔
- ☐ 성 도미니코 성당
- ☐ 성 바울 성당의 유적
- ☐ 성 아우구스티노 광장
- ☐ 세나도 광장
- ☐ 스튜디오시티

*어떻게 여행을 해야하는지 알려드려요.

마카오 전체

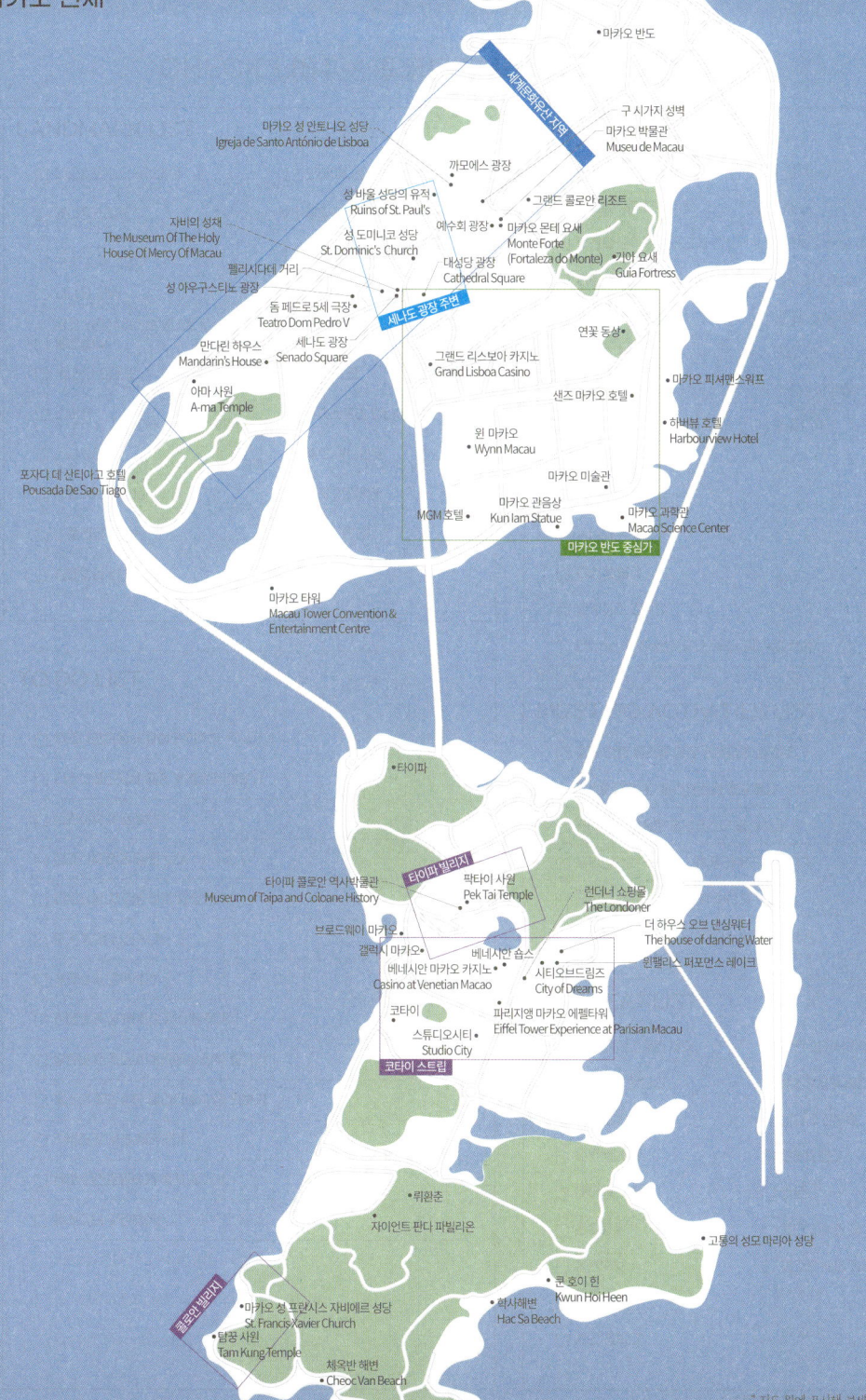

TRAVEL PLAN
SUMMARY - 마카오 전체

TITLE

- ■ DATE   /   /   ~   /   /
- ■ CITY
- ■ WITH
- ■ VEHICLE

MUST GO PLACES
- ■
- ■
- ■
- ■
- ■
- ■
- ■
- ■
- ■
- ■
- ■
- ■
- ■
- ■
- ■
- ■
- ■
- ■
- ■
- ■
- ■
- ■

STAY

MUST EAT FOODS

MUST GO RESTAURANTS

MUST GO CAFE

MUST BUYING

MUST DO ACTIVITIES

MEMOS

* 지도를 보면서 나만의 여행계획을 만들어 보세요.

마카오 전체

TIME LINE

SCHEDULE - 마카오 전체

DAY 1   /   /   ~   /   /

- 8:00 AM
- 9:00 AM
- 10:00 AM
- 11:00 AM
- 12:00 PM
- 13:00 PM
- 14:00 PM
- 15:00 PM
- 16:00 PM
- 17:00 PM
- 18:00 PM
- 19:00 PM
- 20:00 PM
- 21:00 PM
- 22:00 PM
- 23:00 PM

DAY 2   /   /   ~   /   /

- 8:00 AM
- 9:00 AM
- 10:00 AM
- 11:00 AM
- 12:00 PM
- 13:00 PM
- 14:00 PM
- 15:00 PM
- 16:00 PM
- 17:00 PM
- 18:00 PM
- 19:00 PM
- 20:00 PM
- 21:00 PM
- 22:00 PM
- 23:00 PM

* 시간별로 계획을 세워보세요.

TIME LINE

SCHEDULE - 마카오 전체

DAY 3   /   /   ~   /   /

- 8:00 AM
- 9:00 AM
- 10:00 AM
- 11:00 AM
- 12:00 PM
- 13:00 PM
- 14:00 PM
- 15:00 PM
- 16:00 PM
- 17:00 PM
- 18:00 PM
- 19:00 PM
- 20:00 PM
- 21:00 PM
- 22:00 PM
- 23:00 PM

DAY 4   /   /   ~   /   /

- 8:00 AM
- 9:00 AM
- 10:00 AM
- 11:00 AM
- 12:00 PM
- 13:00 PM
- 14:00 PM
- 15:00 PM
- 16:00 PM
- 17:00 PM
- 18:00 PM
- 19:00 PM
- 20:00 PM
- 21:00 PM
- 22:00 PM
- 23:00 PM

* 시간별로 계획을 세워보세요.

PREVIEW
CHECK LIST - 세계문화유산지역

TO DO LIST
- ☐ 리스보아 카지노 야경 보기
- ☐ 마카오 박물관 가보기
- ☐ 마카오 역사지구 둘러보기
- ☐ 몬테 요새에서 마카오 경치 보기
- ☐ 성 도미니코 성당 인증샷 찍기
- ☐ 성 바울 성당의 유적 인증샷 찍기
- ☐ 세나도광장 걸어보기
- ☐ 세나도광장 야경보기
- ☐ 연애 골목에서 사진 찍기
- ☐ 육포 거리에서 육포 먹기
- ☐ 치파오 입고 사진찍기
- ☐ 카지노 맛보기
- ☐ 펠리시다데 거리에서 '도둑들'처럼 사진찍기
- ☐ 포르투갈 거리 쇼핑하기

MUST EAT LIST
- ☐ 돼지갈비밥
- ☐ 아몬드쿠키
- ☐ 탄탄면
- ☐ 딤섬
- ☐ 에그타르트
- ☐ 파인애플번
- ☐ 밀크티
- ☐ 우유 푸딩
- ☐ 포르투갈 치킨
- ☐ 새우완탕면
- ☐ 육포
- ☐ 포르투갈 카레
- ☐ 스테이크
- ☐ 주빠빠오
- ☐ 해산물 요리

MUST BUYING LIST
- ☐ 닌지옴 캔디
- ☐ 포르투 와인
- ☐ 포르투갈 타일
- ☐ 에그타르트
- ☐ 포르투갈 비누
- ☐ 육포
- ☐ 포르투갈 수탉
- ☐ 책콕
- ☐ 포르투갈 연필

MUST DO ACTIVITIES LIST
- ☐ 마카오 시티투어
- ☐ 마카오 성지순례
- ☐ 유네스코문화유산 투어
- ☐ 마카오 랜드마크 투어

LANDMARK LIST
- ☐ 구 시가지 성벽
- ☐ 그랜드 리스보아 카지노
- ☐ 까모에스 광장
- ☐ 나차 사원
- ☐ 뉴 야오한 백화점
- ☐ 돔 페드로 5세 극장
- ☐ 로버트 호 퉁경의 도서관
- ☐ 로부송 오 돔
- ☐ 로우카우 맨션
- ☐ 릴 세나도 빌딩
- ☐ 마가렛 카페 이 나타
- ☐ 마카오 몬테 요새
- ☐ 마카오 박물관
- ☐ 마카오 성 안토니오 성당
- ☐ 성 도미니코 성당
- ☐ 성 라자러스 성당 지구
- ☐ 성 로렌스 성당
- ☐ 성 바울 성당의 유적
- ☐ 성 아우구스티노 광장
- ☐ 성 아우구스티노 성당
- ☐ 성 요셉 신학교와 성당
- ☐ 세나도 광장
- ☐ 연애 골목
- ☐ 예수회 광장
- ☐ 육포거리
- ☐ 자비의 성채
- ☐ 토마스 다 로사 거리
- ☐ 파스텔라리아 추이헝
- ☐ 펠리시다데 거리
- ☐ 포르투갈 거리
- ☐ 홍콩 야시장

* 어떻게 여행을 해야하는지 알려드려요.

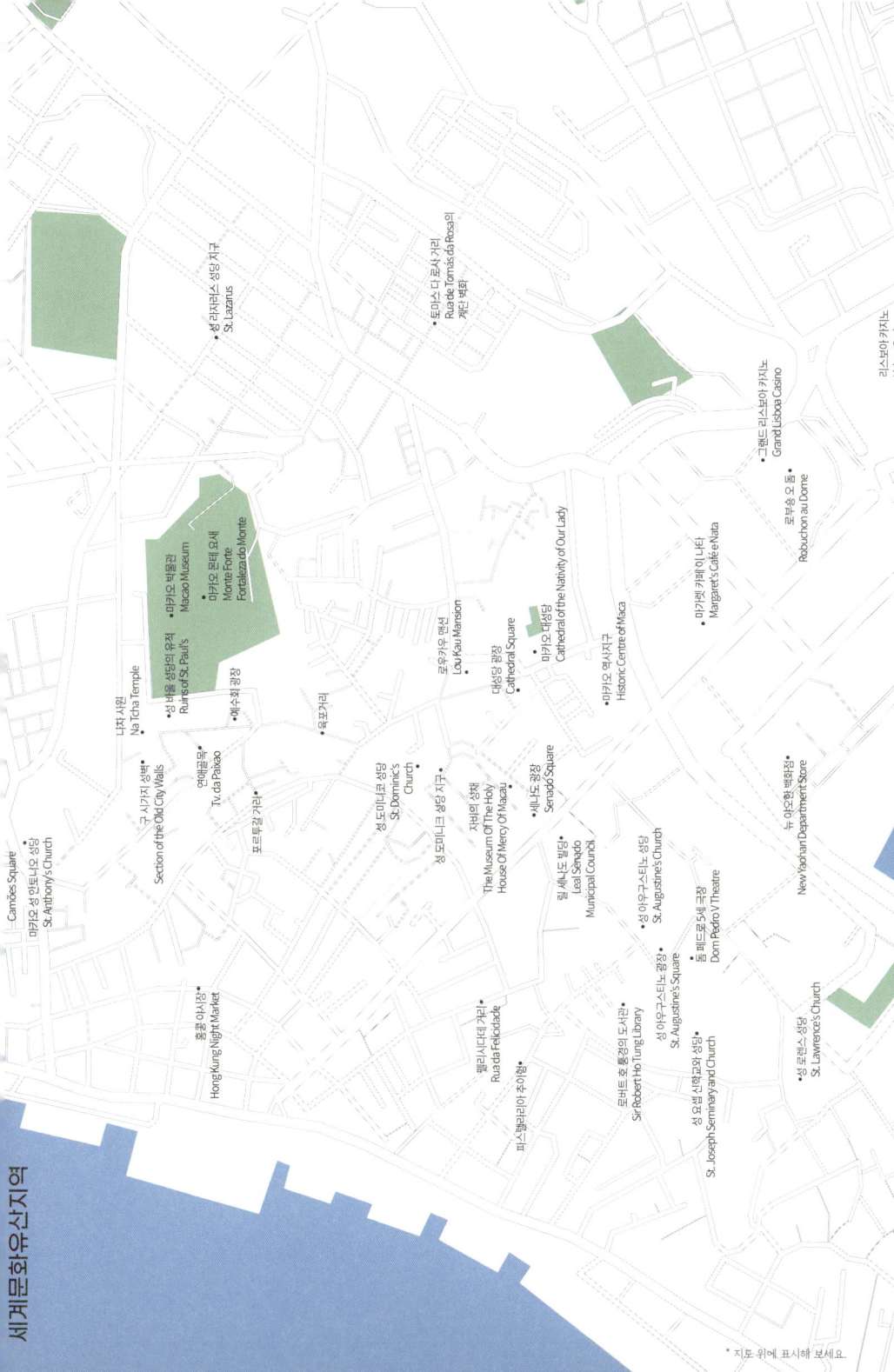

TRAVEL PLAN
SUMMARY - 세계문화유산지역

TITLE

- DATE   /   /   ~   /   /
- CITY
- WITH
- VEHICLE

MUST GO PLACES

-
-
-
-
-
-
-
-
-
-
-
-
-
-
-
-
-
-
-
-
-
-
-
-

STAY

MUST EAT FOODS

MUST GO RESTAURANTS

MUST GO CAFE

MUST BUYING

MUST DO ACTIVITIES

MEMOS

* 지도를 보면서 나만의 여행계획을 만들어 보세요.

TIME LINE

SCHEDULE - 세계문화유산지역

DAY 1 / / ~ / /

8:00 AM

9:00 AM

10:00 AM

11:00 AM

12:00 PM

13:00 PM

14:00 PM

15:00 PM

16:00 PM

17:00 PM

18:00 PM

19:00 PM

20:00 PM

21:00 PM

22:00 PM

23:00 PM

DAY 2 / / ~ / /

8:00 AM

9:00 AM

10:00 AM

11:00 AM

12:00 PM

13:00 PM

14:00 PM

15:00 PM

16:00 PM

17:00 PM

18:00 PM

19:00 PM

20:00 PM

21:00 PM

22:00 PM

23:00 PM

* 시간별로 계획을 세워보세요.

PREVIEW
CHECK LIST - 코타이 스트립 지역

TO DO LIST

- ☐ 갤럭시 마카오 다이아몬드 쇼 보기
- ☐ 골든릴 관람차 타기
- ☐ 더 런더너 호텔 로비 공연 보기
- ☐ 더 하우스 오브 댄싱워터 보기
- ☐ 더 런더너 쇼핑몰 구경하기
- ☐ 마카오 야경 즐기기
- ☐ 마카오 타이파 빌리지 구경하기
- ☐ 미슐랭 레스토랑에서 포르투갈식 즐기기
- ☐ 베네시안 곤돌라 타기
- ☐ 브로드웨이 마카오 구경하기
- ☐ 윈팰리스 호텔 케이블카 타고 분수쇼 보기
- ☐ 파리지앵 마카오 에펠타워 인증샷 찍기
- ☐ 파리지앵 마카오 큐브 킹덤 외부 인증샷 찍기

MUST EAT LIST

- ☐ 굴쌀국수
- ☐ 생선 요리
- ☐ 에그타르트
- ☐ 딤섬
- ☐ 샤오룽바오
- ☐ 육포
- ☐ 랍스터
- ☐ 스테이크
- ☐ 인도 커리
- ☐ 밀크티
- ☐ 아몬드 쿠키
- ☐ 주빠빠오
- ☐ 베이징덕
- ☐ 애프터눈티
- ☐ 탄탄면

MUST BUYING LIST

- ☐ 닌지옴 캔디
- ☐ 자스민 차
- ☐ 카지노칩 기념품
- ☐ 세일링 실론티
- ☐ 책콕
- ☐ 아몬드 쿠키
- ☐ 포르투갈 와인
- ☐ 로드 스토우 에그타르트
- ☐ 포르투갈 비누

MUST DO ACTIVITIES LIST

- ☐ 베네시안 큐브 키즈 카페
- ☐ 실내 스카이다이빙
- ☐ 팀랩 슈퍼네이처
- ☐ 스튜디오 시티 레전드 히어로즈 파크
- ☐ 좀비 CS 레이저 배틀
- ☐ 파리지앵 큐브 킹덤 어트렉션
- ☐ 스튜디오 시티 슈퍼 펀 존 어트렉션
- ☐ 짚시티 짚라인
- ☐ 스튜디오 시티 워터파크
- ☐ 카지노 호텔 투어

LANDMARK LIST

- ☐ 갤럭시 마카오
- ☐ 갤럭시 프로메나데
- ☐ 골든릴
- ☐ 더 런더너 호텔
- ☐ 더 하우스 오브 댄싱워터
- ☐ 마카오 더 리츠 칼튼 바&라운지
- ☐ 마카오 라 친느
- ☐ 마카오 마켓 비스트로
- ☐ 마카오 어반키친
- ☐ 마카오 타이파 빌리지
- ☐ 베네시안 마카오
- ☐ 베네시안 숍스
- ☐ 브래서리
- ☐ 브로드웨이 마카오
- ☐ 스튜디오시티
- ☐ 시티오브드림스
- ☐ 카르멜 성모 성당
- ☐ 타이파 주택 박물관
- ☐ 타이파 콜로안 역사박물관
- ☐ 팍타이 사원
- ☐ 윈팰리스 호텔 스카이캡
- ☐ 파리지앵 마카오
- ☐ 파리지앵 마카오 에펠타워
- ☐ 포 시즌즈 숍스

* 어떻게 여행을 해야하는지 알려드려요.

TRAVEL PLAN

SUMMARY - 코타이 스트립 지역

TITLE

DATE   /   /   ~   /   /
CITY
WITH
VEHICLE

MUST GO PLACES

STAY

MUST EAT FOODS

MUST GO RESTAURANTS

MUST GO CAFE

MUST BUYING

MUST DO ACTIVITIES

MEMOS

* 지도를 보면서 나만의 여행계획을 만들어 보세요.

TIME LINE

SCHEDULE - 코타이 스트립 지역

DAY 1 / / ~ / /

- 8:00 AM
- 9:00 AM
- 10:00 AM
- 11:00 AM
- 12:00 PM
- 13:00 PM
- 14:00 PM
- 15:00 PM
- 16:00 PM
- 17:00 PM
- 18:00 PM
- 19:00 PM
- 20:00 PM
- 21:00 PM
- 22:00 PM
- 23:00 PM

DAY 2 / / ~ / /

- 8:00 AM
- 9:00 AM
- 10:00 AM
- 11:00 AM
- 12:00 PM
- 13:00 PM
- 14:00 PM
- 15:00 PM
- 16:00 PM
- 17:00 PM
- 18:00 PM
- 19:00 PM
- 20:00 PM
- 21:00 PM
- 22:00 PM
- 23:00 PM

* 시간별로 계획을 세워보세요.

01 에이든 여행지도의 대부분 구성은 좌측에 보는 바와 같이 **지도 2장(또는 한장), 맵북, 트래블노트, 깃발스티커** 로 이루어져 있습니다.

PACKAGE
COMPOSITION

1. 개선문부터 생 루이섬까지, 여행지, 맛집 등 파리 주요지역을 담은 상세 지도 1장(A1 접지)
2. 파리 1구부터 20구까지 한 눈에 볼 수 있게 파리 전체를 담은 지도 1장(A1 접지)
3. 책 형태로 볼 수 있도록 지도를 여러 구도로 잘라내서 만든 맵북 1권(A5 사이즈)
4. 파리 여행 계획을 세울 수 있도록 만들어진 체크리스트와 백지도를 담은 트래블노트 1권
5. 가야 할 곳 또는 가본 곳을 표시 할 수 있는 깃발 스티커 100개 들이 1세트
6. 1번부터 5번까지 제품들을 깔끔하고 안전하게 담을 수 있는 패키지 케이스

국내를 비롯하여 해외의 여행지도를 제작하는 출판사 타블라라사의 브랜드 "에이든 여행지도" 입니다.

저희 지도는 길 찾는 용도로 만들어진 지도가 아닙니다. 길은 구글지도나 네이버 지도로 찾으시고 여행지를 전체적으로 살펴보며 계획을 세울 때 그때 활용할 수 있는 지도를 제작했습니다. 조금 복잡하더라도 요약된 많은 정보를 제공할 수 있다면, 가이드북이나 네이버를 검색하지 않더라도 지도 한 장으로 준비 없이 여행을 떠날 수 있을 것이기 때문입니다.

특정 도시로 여행을 떠나기 전에 어디를 갈지, 뭘 먹을지, 어떤 재미난 액티비티를 할지 찾아보시고 지도에 메모해 두시잖아요? 미리 수천시간 노력해서 다 찾아놓았다! 라고 생각하시면 될것 같습니다.

아날로그라고 무시하게 아닌게, 이렇게 방수되는 종이로 아무렇게나 접어서 주머니에 넣을 수 있는 40인치나 되는 플렉시블한 디스플레이는 현재 없습니다! 또한 당분간 개발되지도 못합니다.

"아날로그는 나쁘거나 불편한 것이 아닙니다"

에이든은 디지털 기술을 이용해 최고의 아날로그 여행지도를 만들고 있는 중이며 여행자들의 의견이 넘쳐나는 살아있는 플랫폼으로 가기위해 노력하고 있습니다. 한국인의 특성이 살아 있는 이 지도로 해외시장으로 진출하는 그 과정을 응원해주세요!

02 이렇게 좋은 여행지도 **누가 만들었을까요?**

17년 경력의 여행콘텐츠 전문가 그룹 **에이든**

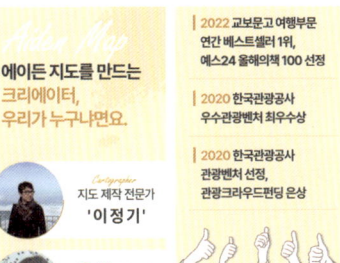

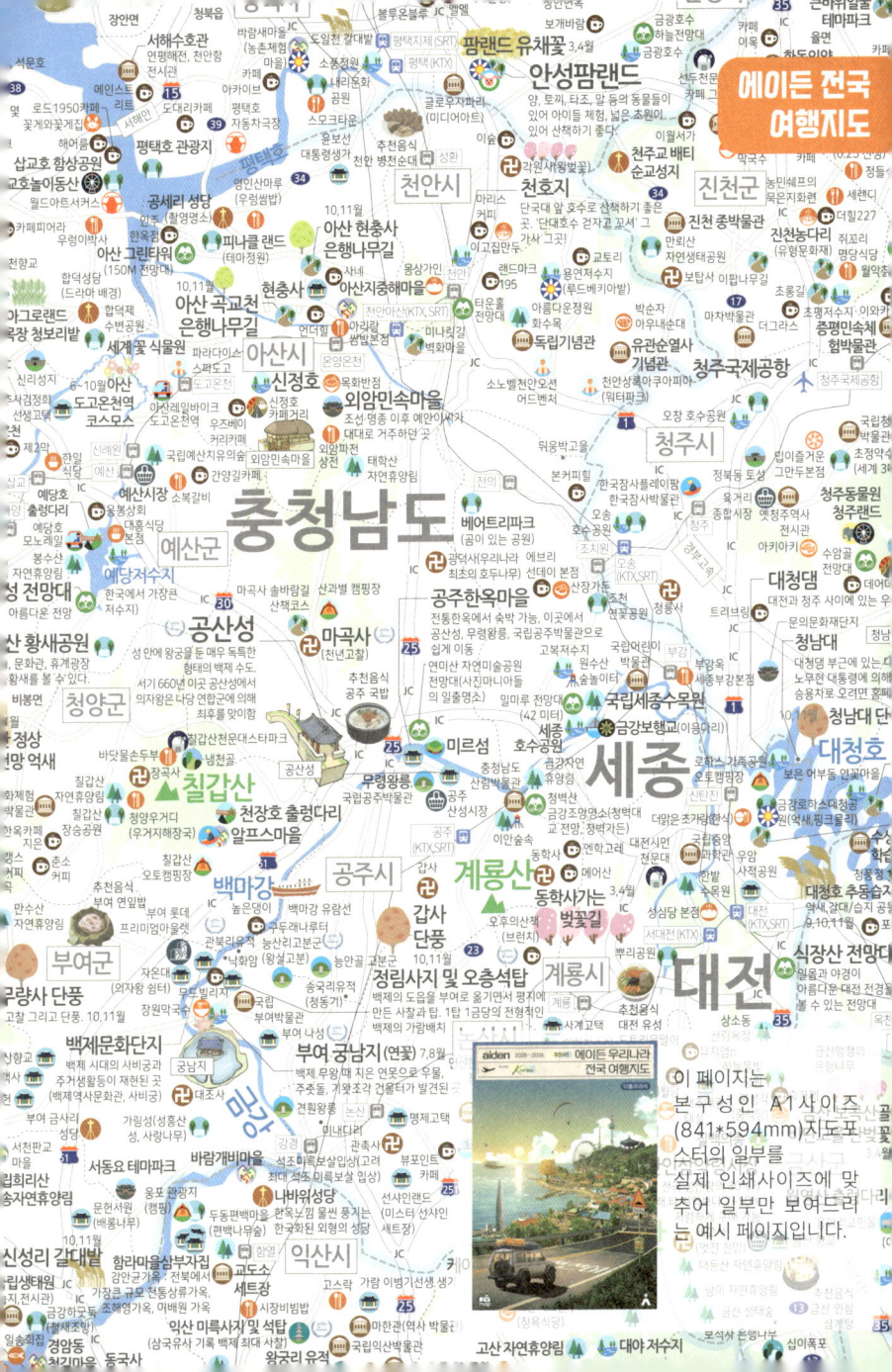

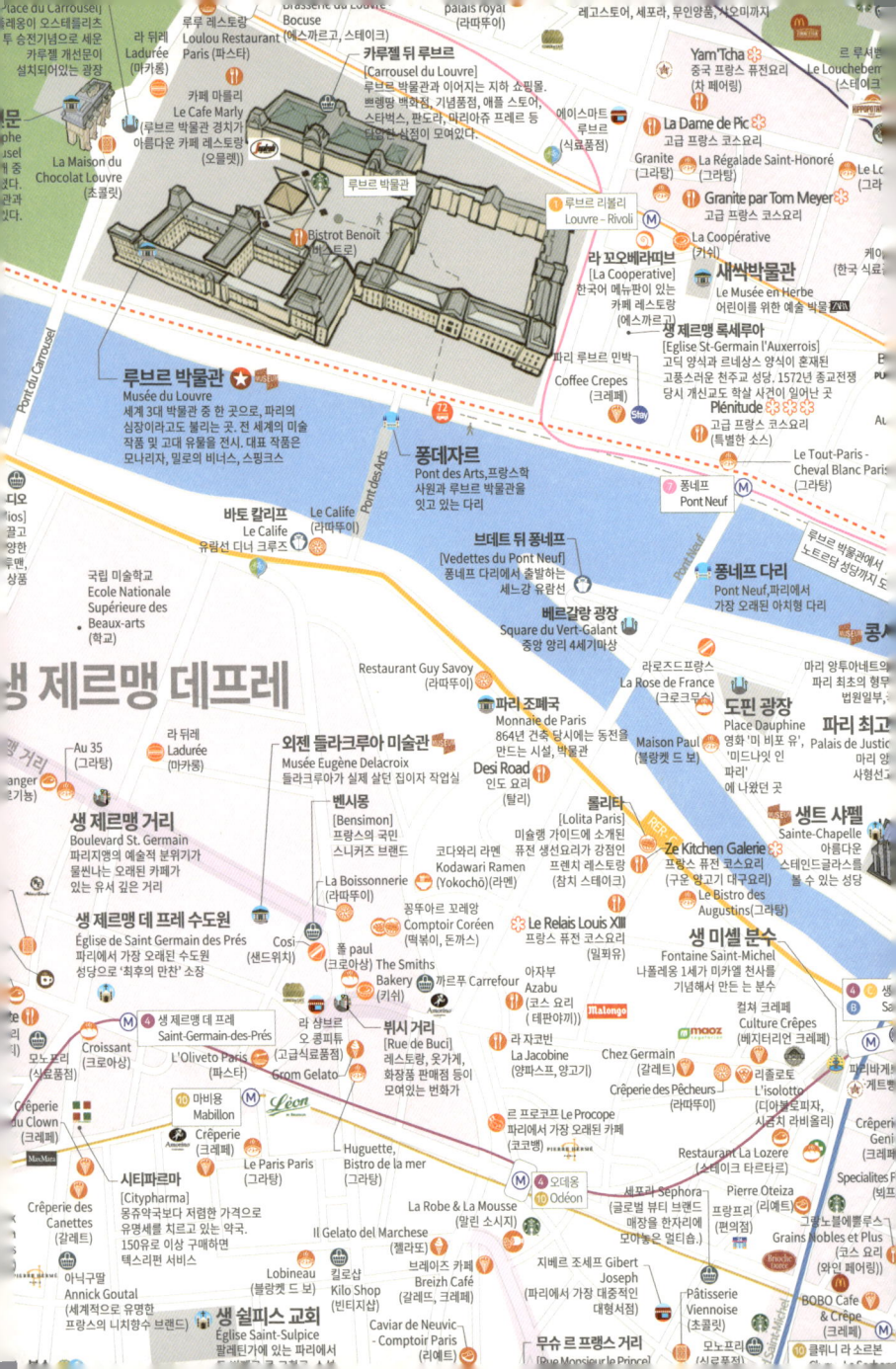

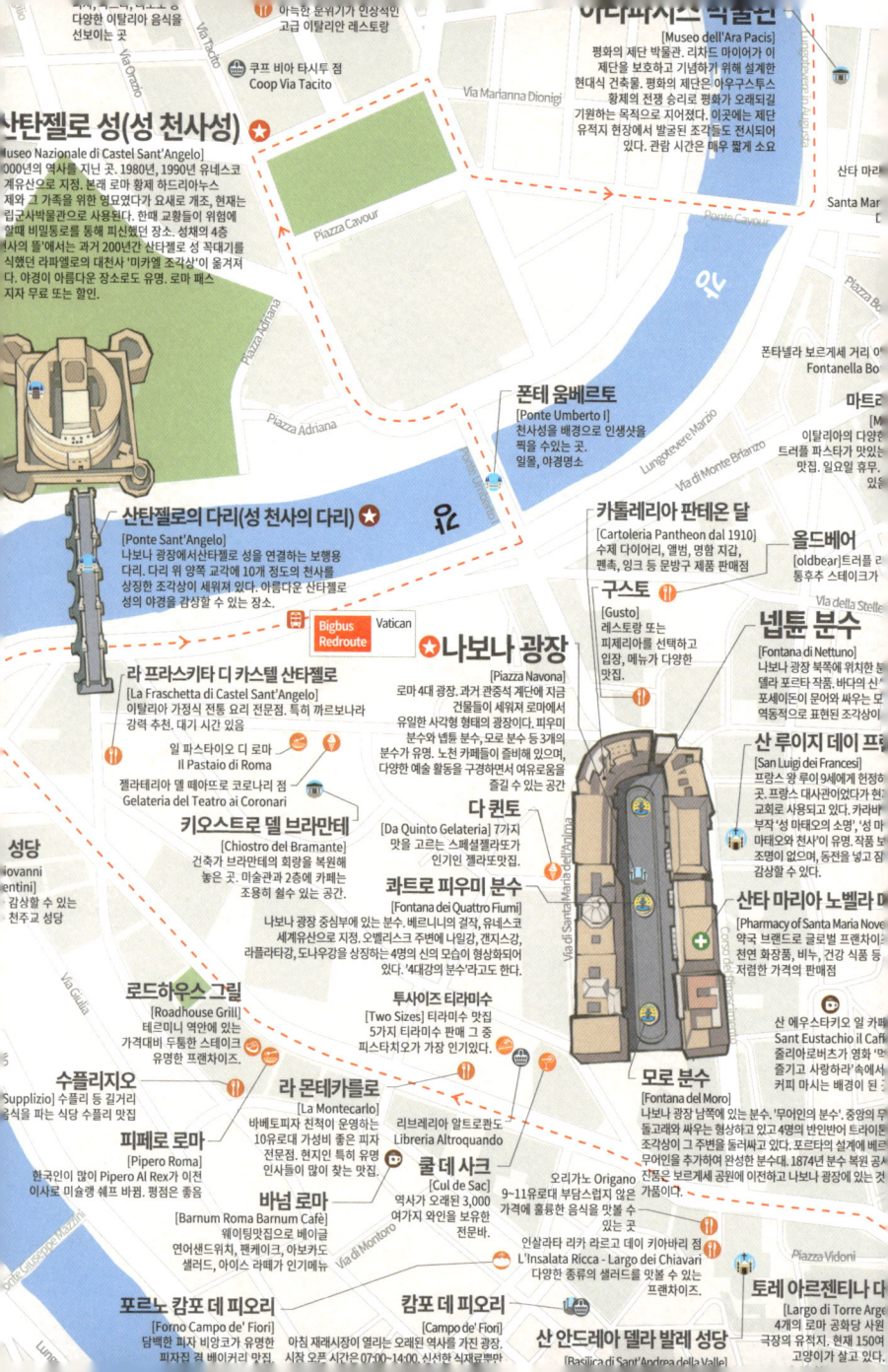

알프레도
[Ristorante Alfredo]
전세계적으로 사랑받는 알프레도 크림소스를 개발한 원조 식당.

칸티나 벨시아나
[Cantina Belsiana]
비교적 합리적인 가격의 와인과 가지 라자냐가 맛있는 곳.

페라리 스토어 Ferrari Store

★ 콘도티 거리
[Via Condotti]
스페인 광장에서 시작하는 명품샵이 모여 있는 거리. 많은 명품 브랜드들이 입점. 골목 사이사이에는 기념품과 다양한 상점이 있어 구경하는 재미가 있다. 여름은 7~8월, 겨울은 1~2월 명품 세일 기간.

★ 코르소 거리
[Via del Corso]
베네치아 광장부터 포폴로광장까지 로마 중심을 관통하는 최대 번화가. 명품거리 콘도티 거리와 교차. 디즈니스토어, 망고, 자라 등 중저가 브랜드와 편집샵, 로컬 브랜드들 등이 이탈리아의 패션 브랜드를 엿볼 수 있는 거리. 'SALDI(Sale)'는 보통 20~50% 할인, 상품을 저렴하게 득템할 기회!

지울리티 알 비카리오 점
[Giolitti Al Vicario]
로마 젤라또 3대 맛집, 4대째 젤라테리아 운영 하는 곳. 쌀맛 젤라또 추천

클락스 로마 판테온
[Clarks Roma Pantheon]
부츠, 브로그 슈즈, 샌들, 레이스 업 등 데저트 부츠 등 다양한 신발을 판매하는 상점

타짜 도로
[La Casa Del Caffè Tazza D'oro] 한국에도 지점이 있는 전 세계적으로 로스팅 커피로 유명한 카페.

이코노 이탈리아
[IKONO] 로마 이코노 이탈리아 몰입형 전시장. 9개의 객실로 이루어져있고, 그 중 볼풀장이 인기있다.

판테온
[Pantheon] 로마 고대 건축의 백미. 1980년, 1990년 유네스코 세계유산 지정. 기원전 27년 아그리파가 로마 시대 모든 신들을 위한 신전(일명 만신전)으로 건설 후 화재로 125년 재건. 19세기까지 '산타 마리아 로톤다 성당'으로 사용된 덕분에 이교도라는 낙인 없이 원형이 잘 보존된 건축물. 철근을 사용하지 않은 세계에서 가장 거대한 콘크리트 돔이다. 태양을 형상화한 직경 9m에 달하는 천장 개구부(Oculus)는 자연 채광으로 조명 역할과 냉각, 통풍의 기능도 수행한다. 내부에는 비토리오 에마누엘레 2세, 라파엘로 등 유명인사의 납골당이 안치되어 있다. 무료 입장

L'Olfattorio - Bar à Parfums

돌체 앤 가바나 Dolce&Gabbana

스페인 광장 ★
[Piazza di Spagna]
로마에서 제일 유명한 광장. 17세기 스페인 영사관이 있었던 곳. '바르카치아 분수', '스페인 계단', '트리니타 데이 몬테 성당' 등 볼거리가 가득한 장소. '로마의 휴일' 등 많은 영화의 배경이 되기도 했다. 광장에서 유명 명품샵 코르소 거리와 이어져 있다.

디즈니 스토어
[Disney Store]
디즈니 캐릭터들의 피규어, 인형, 옷 등 판매하는 디즈니 장난감 가게

라이프 식당
[Ristorante Life]
랍스타 파스타, 라비올리, 트러블 스테이크가 유명한 고급 레스토랑. 사전 예약 필수

벤키
[Venchi Cioccolato e Gelato]
로마 젤라또 5대 맛집, 초콜렛맛 젤라또 추천.

빠네 에 살라미
[Pane e Salame]
5유로로 저렴하고 다양한 파니니를 맛볼 수 있는 곳. 점심시간에는 대기 시간 있음.

★ 트레비 분수
[Fontana di Trevi]
세갈래 길(Trevia)이 합쳐진다는 뜻을 가진 분수. 1980년, 1990년 유네스코 세계유산으로 지정. 1453년 건축 후 오랜간 개축과 증축을 거쳐 1762년 완공된 바로크 양식의 최고 걸작. 개선문을 본떤 벽화 앞에 대양의 신 오케아노스가 가운데 서있고, 양 옆에는 반인반마의 바다의 신 트리톤이 전차를 끄는 당당한 모습이 웅장하게 조각되어 있다. 지하철 A선 Barberini 역에서 걸어서 5분. 영화 '로마의 휴일' 촬영 장소.

산티냐조 디 로욜라 성당
[Chiesa di Sant'Ignazio di Loyola]
예수회 설립자, 종교 개혁의 대항마 이그나티우스를 위해 지어진 성당. 실제보다 3배 넓게 보이는 착시효과가 뛰어난 '산티냐조 디 로욜라의 영광' 천장 프레스코화가 유명.

산타 마리아 소프라 미네르바
[Chiesa di Santa Maria Sopra Minerva]
로마에서 보기 힘든 고딕 건축 양식의 성당. 미네르바 여신 사원의 유적지에 있었던 곳. 카예리나 등 유명 인사들의 무덤이 있는 역사적 장소이다. 미켈란젤로의 '십자가를 든 예수 그리스도', 베르니니의 '마리아 라리체 를 위한 기념물' 과 예수교회 등 많은 예술품을 소장하며 미술관이라 불린다. 갈릴레오가 종교 재판 장소로도 유명.

바빙톤스 티 룸
[BABINGTON'S TEA ROOM]
다채로운 브랜드로 유명한 고급 영국식 찻집.

TreCaffe - Bistro
[Trecaffè - Via dei due]
파스타치오 크루아상,카푸치노가 인기있다. 아이스아메리카노를 파는 곳

리나센테 로마 트리토네
[Rinascente Roma Tritone]
150년 전통의 럭셔리한 백화점. 구찌, 루이비통, 발렌티노 등 유명 명품 브랜드부터 생활용품까지 다양한 매장과 편의시설 입점 복합 쇼핑몰 7층 루프탑이 인스타 인기 야경명소.

포레오 FOREO

리스토란테 피자 치로 메르세데 거리 점
[Ristorante Pizza Ciro Mercede]
세수대야 파스타로 유명한 맛집. 특히 8일 파스타인 링게네 알라 치로 추천

피자 인 트레비
[Pizza in Trevi]
트레비분수 앞 피자집 버팔로피자, 파스타

보르살리노
Borsalino

오스테리아 바르...
[Osteria Bar...]
품요리 다양...
실리...

핀코 Pinko

[Ristorante Crispi 19]
럭셔리한 식사를 할 수 있는 지중해풍 고급 레스토랑

트리토네
[Fontana del Tritone]
바르베리니 광장을 상징하는 분수. 바르베리니 교황을 위해 만들어진 베드 분수에서 교황의 심중자, 성 베드로 상징 불벌 문장을 찾아낼...

댓츠 아모르
[That's Amore]
현지인과 외국인 관광객 인기 있는 양이 많은 맛집.

일 키안티
[Il Chianti Vineria]
다양한 와인, 토스카나 지역의 음식, 티라미수가 일품인 곳.

★ 퀴리날레 궁전
[Palazzo del Quirinale]
로마의 7개 언덕 중 가장 높은 퀴리날레 언덕에 세워진 오래된 궁전. 현재 이탈리아 대통령 관저로 사용. 매일 오후 3시 근위병 교대식을 관람할 수 있다. 내부는 투어를 통해 관람 가능

퀴리날레 박물관
[Scuderie del Quirinale]
퀴리날레 궁전 마구간으로 사용되었던 곳. 현재 다양한 미술 작품 전시회가 열린다. 로마 전경을 볼 수 있는 가장 높은 뷰포인트.

베네치아 궁전
[Palazzo di Venezia]

일 제수 성당
[Chiesa del Gesù]
정식 명칭은 예수의 신성한 이름 교회. 로마 최초의 예수회 성당 본부, 전세계 예수회 성당의 건축학적 모델이 된 곳이다. 이곳의 천장 프레스코화는 환각학의 절정으로

피냐 분수
Fontana della Pigna

에이든 로마 여행지도

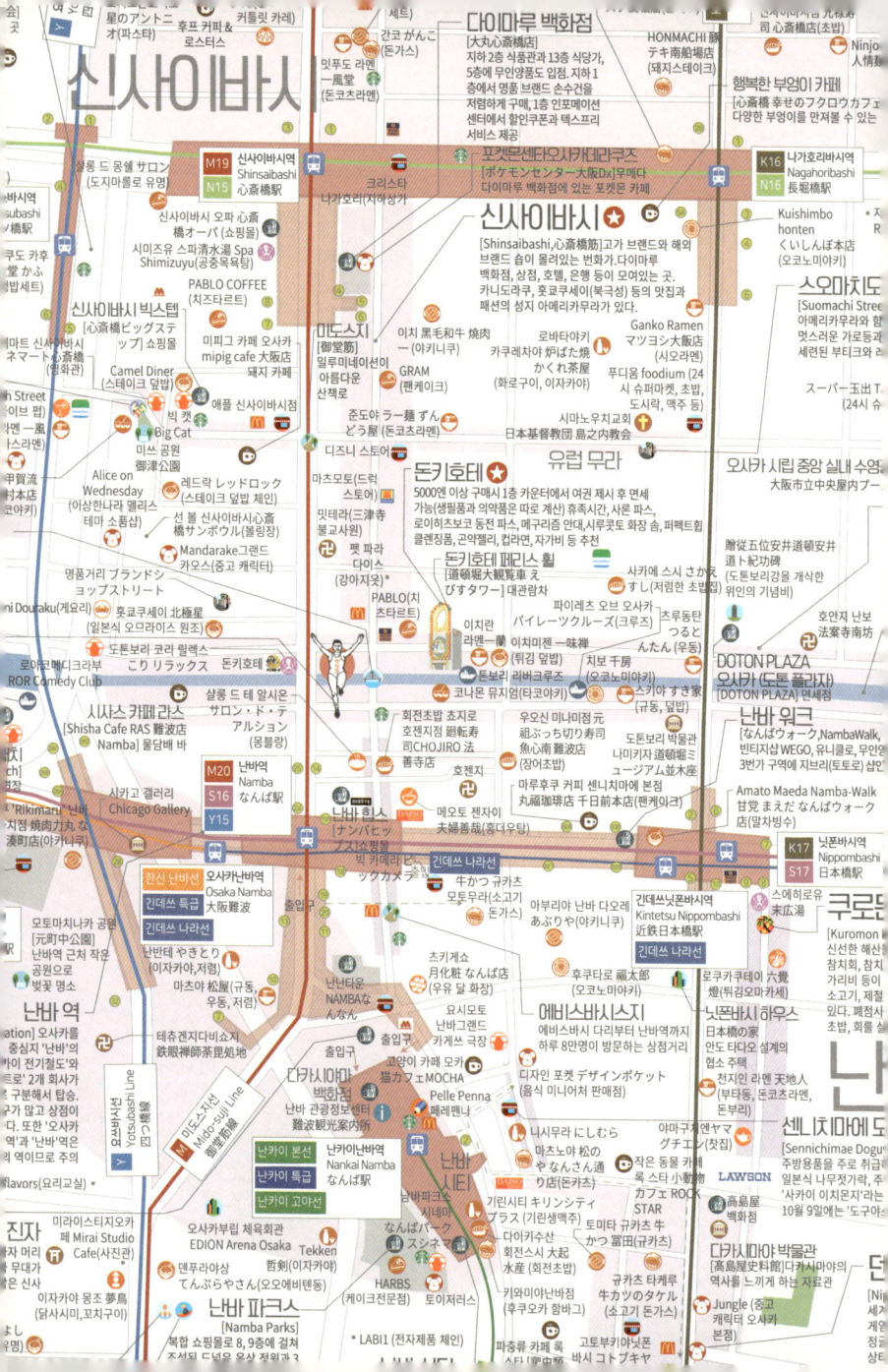

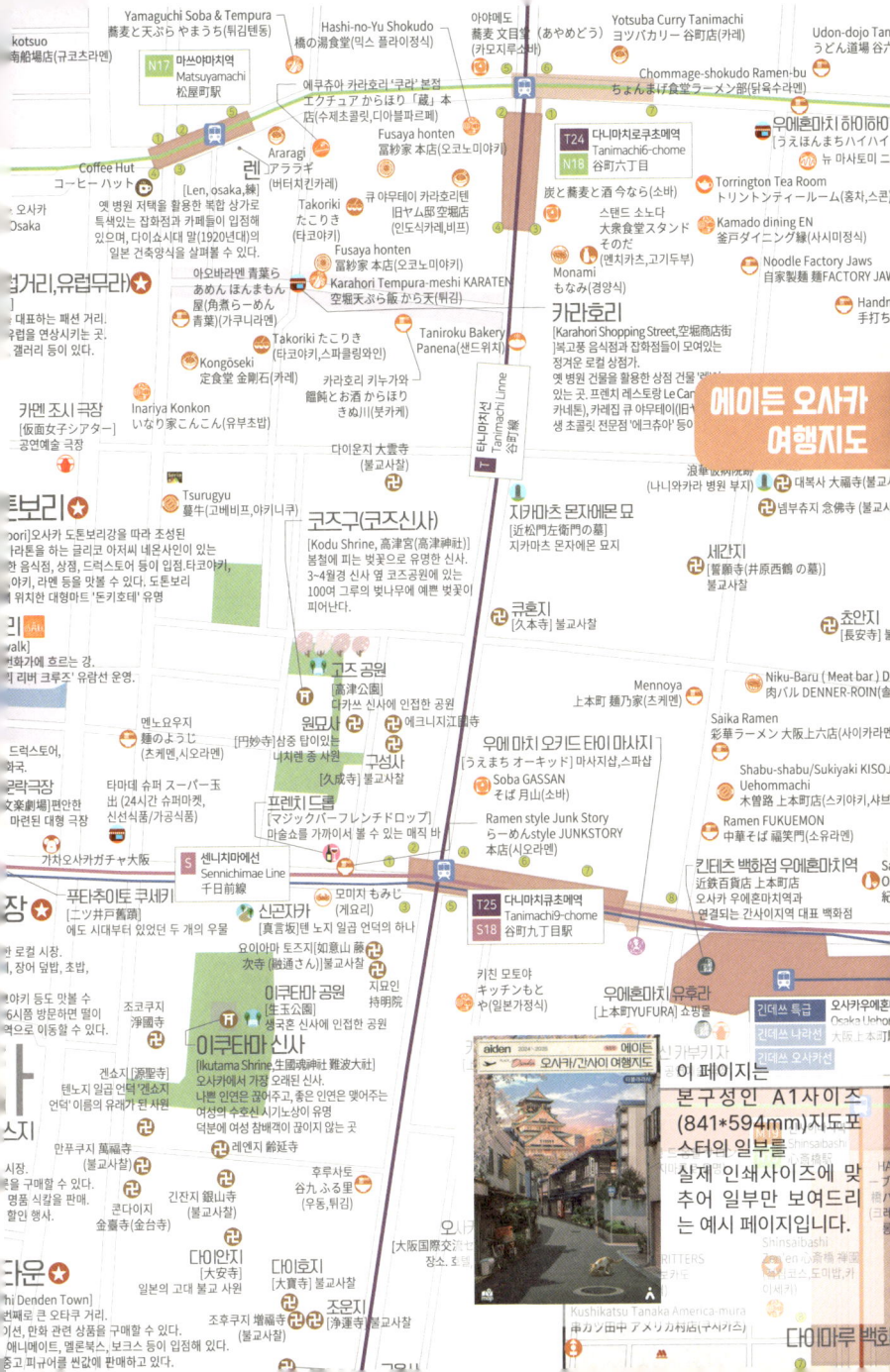

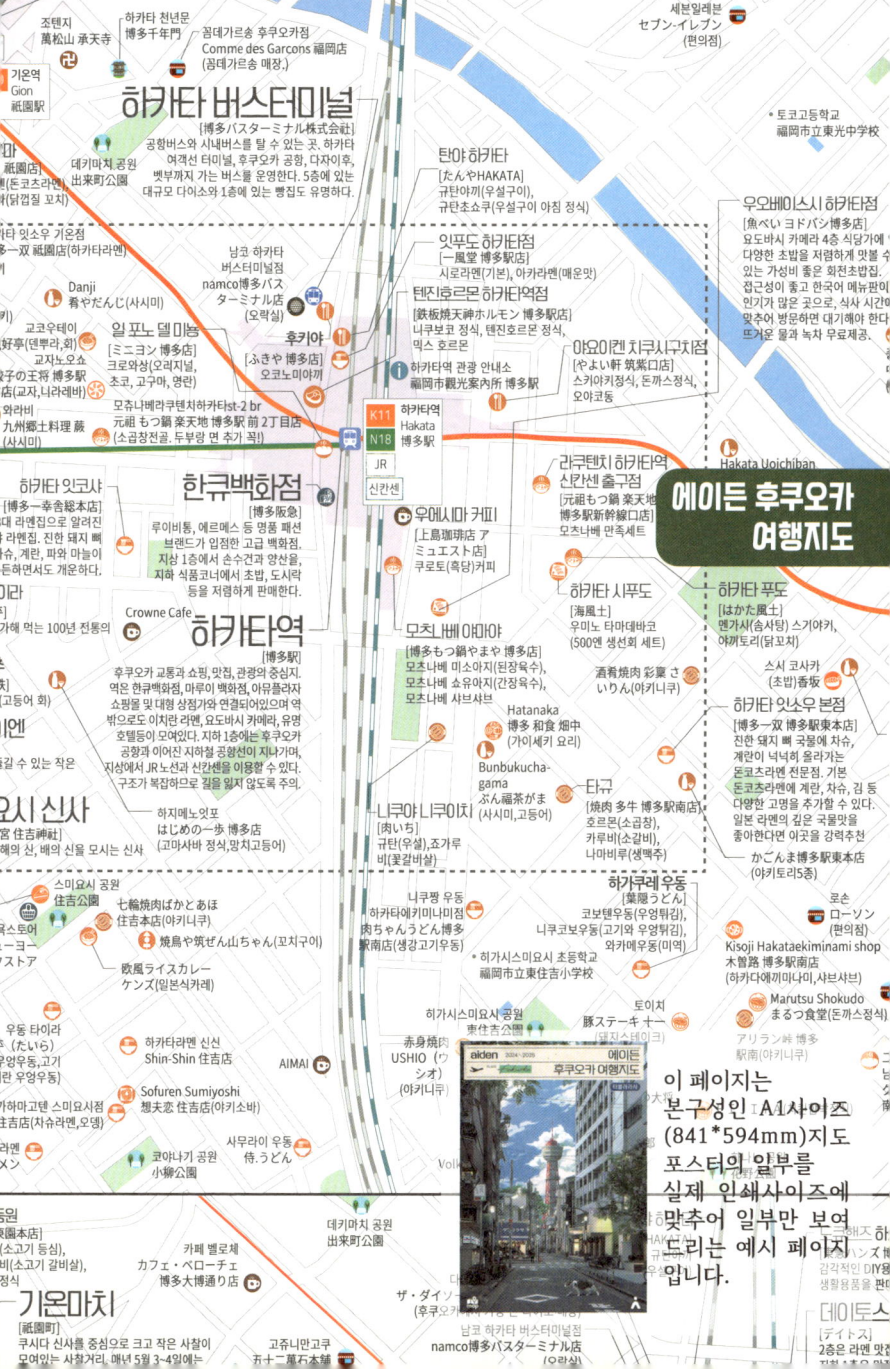